le français/langue seconde

par objectifs

niveau 1

Anne-Marie Connolly

le français
langue seconde
par objectifs

NIVEAU 1

Illustration de Toan

guérin MONTRÉAL - TORONTO

4501 Drolet
Montréal (Québec) H2T 2G2 Canada
(514) 842-3481

dans la série:

**le français/langue seconde
par objectifs**

- **niveau 2**
- **niveau 3**
- **niveau 4**
- **niveau 5**

le français/langue seconde
- **niveau 6**

INTRODUCTION

Cette série de cinq cahiers d'exercices répond aux besoins du débutant qui veut compléter son apprentissage du français oral par celui du français écrit. Sans aborder l'étude de la langue littéraire, qui relève d'un tout autre domaine, nous lui proposons ici d'atteindre cet objectif général: apprendre à **écrire** ce qu'on est capable de **dire**.

Les cinq cahiers correspondent aux cinq premiers niveaux, de 90 heures chacun, que l'on adopte généralement dans les cours. Ils reprennent les objectifs spécifiques de l'apprentissage du français oral, tels que formulés dans la plupart des méthodes audio-visuelles, et plus particulièrement dans le "Programme par objectifs" (PPO) du ministère de l'Éducation du Québec.

Le contenu de chaque objectif, qui recouvre le plus souvent un point précis de grammaire, est toujours présenté en situation, dans des phrases types, qui permettent à l'étudiant de repérer les structures de la langue et d'en dégager le fonctionnement de façon intuitive. Suivent différents modèles d'exercices: exercices en images, exercices structuraux, exercices d'expression dirigée, d'autres enfin d'expression libre. Sauf pour ces derniers, une correction est toujours proposée pour favoriser l'individualisation de l'apprentissage, de même qu'une question-test, qui sert d'auto-évaluation à la fin de chaque étape. Le professeur quant à lui peut utiliser les leçons de révision, qui n'ont pas de corrigés, comme tests plus complets.

Ainsi conçu, l'apprentissage de l'écrit vient enrichir efficacement celui de l'oral et participe de façon indispensable à l'acquisition de la langue.

OBJECTIFS DU NIVEAU 1

Objectif 1
1A1*
- Les pronoms personnels sujets:
    "je, tu, il, elle, on, nous, vous, ils, elles".

1A2
- Le verbe "être" au présent de l'indicatif.

1A3
- Les adjectifs et les noms de profession
    invariables au masculin et au féminin.
- Les expressions d'identification.
- Les expressions de salutation.

Objectif 2
1A5
- Les questions débutant par "Quel est".
- Les adjectifs possessifs singuliers (1ère, 2ième, 3ième personne):
    "mon, ma, ton, ta, votre, son, sa".
- Les adjectifs de nationalité et les noms de profession.

Objectif 3
1A4
- Les articles définis "le, l', la, les".
- Le genre (masculin/féminin).
- Le nombre (singulier/pluriel).

Objectif 4
1A7
- L'interrogation avec "Est-ce que".

Objectif 5
1A8
- Le verbe "avoir" au présent de l'indicatif.
- Les articles indéfinis "un, une des".

Objectif 6
1A6
1A10
- L'interrogation par inversion:
    avec "être" et "avoir";
    avec "Combien de";
    avec "Quel".
- Les nombres de 1 à 25.

Objectif 7
1A11
- L'expression idiomatique "Il y a".
- Les compléments de lieu introduits par "sur, sous, dans, devant,
    derrière, entre".

Objectif 8
1A12
- Les questions débutant par "Qu'est-ce que...(faire)".
- Les verbes réguliers du 1er groupe au présent de l'indicatif:
    "regarder, jouer, écouter, préparer, téléphoner,
    laver, danser, fumer, travailler, étudier".

Objectif 9
1A14
- Les pronoms personnels compléments d'objet direct:
    "me, m', te, t', le, l', la, nous, vous, les".

Objectif 10
1A15
- Révision des objectifs 1 à 9.
- La phrase simple au présent de l'indicatif renfermant deux compléments:
    un complément d'objet direct;
    un complément de lieu, de temps.

Objectif 11
1A16
1A17
- L'impératif présent des verbes réguliers du 1er groupe.
- Les articles partitifs "du, de l', de la, des".

Objectif 12
1A19
- Le verbe "faire"
    au présent de l'indicatif et de l'impératif.

Objectif 13
1A20
- Les questions débutant par "À qui" et par "À quoi".
- Les verbes du 1er groupe suivis de "à":
    "penser, rêver, parler, ressembler, raconter,
    chanter, jouer, téléphoner, apporter, signer,
    expliquer, demander, prêter, donner".

---

* Ce code renvoie au "Programme par objectifs" (PPO) du ministère de l'Éducation du Québec.
1A1 signifie: objectif A1, 1er niveau (FS 202). No du document: 38.8143, décembre 1975.)

Objectif 14   • Les questions débutant par "Quand" et par "À quelle heure".
1A21   • Les compléments de temps.

Objectif 15   • La négation "ne ... pas"
1A23   dans des phrases au présent de l'indicatif.

Objectif 16   • La possession,
1A24   avec les adjectifs possessifs:
1A25   "mon, ma, ton, ta, son, sa, notre, votre, leur,
mes, tes, ses, nos, vos, leurs";
avec les pronoms personnels toniques:
"à moi, à toi, à lui, à elle, à nous, à vous, à eux, à elles";
avec le complément de nom introduit par "de".

Objectif 17   • Les pronoms personnels compléments d'objet indirect:
1A26   "me, m', te, t', lui, nous, vous, leur",
dans des phrases au présent de l'indicatif.

Objectif 18   • Révision des objectifs 10 à 17.
1A27   • La phrase simple au présent de l'indicatif renfermant deux compléments:
objet direct, indirect, de temps, de lieu.

Objectif 19   • Les verbes du 3ième groupe au présent de l'indicatif et de l'impératif:
1A28   "mettre, attendre, ouvrir, courir, lire, écrire,
boire, comprendre, prendre, apprendre".

Objectif 20   • Les adjectifs à la forme féminine et à la forme masculine.
1A29
Objectif 21   • Le verbe "aller"
1A30   suivi d'un complément de lieu introduit par "à, au, dans, en".
1A31   • L'adverbe de lieu "y".

Objectif 22   • Les questions débutant par "Comment".
1A33   • Les compléments de manière introduits par "à, en, avec".

Objectif 23   • Les verbes du 1er groupe à deux radicaux:
1A34   "enlever, promener, amener, acheter,
répéter, espérer, jeter, appeler".

Objectif 24   • Le futur immédiat.
1A35
Objectif 25   • Les verbes "partir", "sortir", "venir"
1A36   suivis d'un complément de lieu
introduit par "à, au, du, de, dans, chez";
suivi d'un complément d'accompagnement
introduit par "avec".

Objectif 26   • Les expressions idiomatiques avec "avoir":
1A37   "avoir chaud, froid, faim, soif, mal, peur, sommeil".

Objectif 27   • La phrase simple au présent de l'indicatif; au futur immédiat;
1A38   renfermant trois compléments:
objet direct, indirect, de temps, de lieu, de manière.

Objectif 28   • Révision du niveau 1.
1A40

- Les pronoms personnels sujets: "je, tu, il, elle, on, nous, vous, ils, elles".
- Le verbe "être" au présent de l'indicatif.
- Les adjectifs et les noms (de profession) invariables au masculin et au féminin.
- Les expressions d'identification et de salutation.

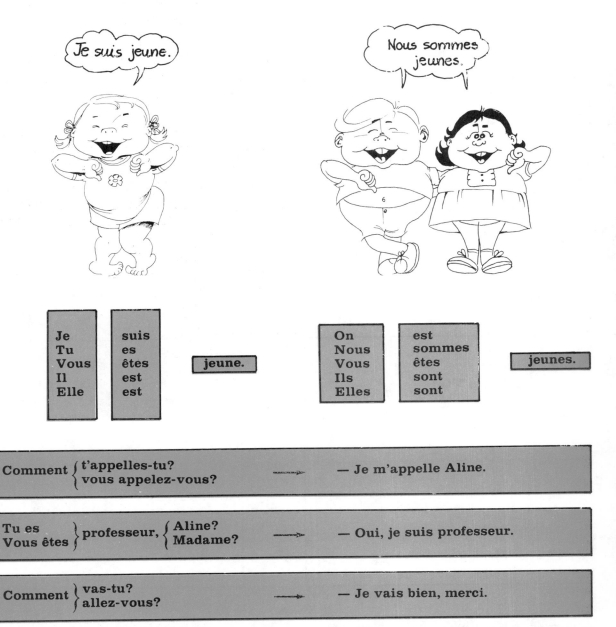

| Je
Tu
Vous
Il
Elle | suis
es
êtes
est
est | jeune. | On
Nous
Vous
Ils
Elles | est
sommes
êtes
sont
sont | jeunes. |

Comment { t'appelles-tu?
vous appelez-vous? — Je m'appelle Aline.

Tu es
Vous êtes } professeur, { Aline?
Madame? — Oui, je suis professeur.

Comment { vas-tu?
allez-vous? — Je vais bien, merci.

{ Guy
Marie } est photographe? — Oui, { il
elle } est photographe.

{ Michel
Aline } est photographe? — Non, { il
elle } est professeur.

Exercice 1

Suzanne Ladouceur

Guy Bélanger

Exemple:
Bonjour! Comment vous appelez-vous?
— Je m'appelle Suzanne Ladouceur.

Vous êtes dentiste?
— Oui, je suis dentiste.

Comment allez-vous?
— Je vais bien, merci.

1. Bonjour! Comment vous appelez-vous?
   <u>Je m' appelle ~~Guy~~ Bélanger</u>
2. Vous êtes photographe?
   <u>Oui ~~vous~~ - Je suis photographe.</u>
3. Comment allez-vous?
   <u>Je vais bien, merci</u>

Aline Lévesque

Louise Labelle

4. <u>Bonjour! Comment vous appelez-vous?</u>
   — Je m'appelle Aline Lévesque.
5. <u>Vous êtes professeur?</u>
   — Oui, je suis professeur.
6. <u>Comment allez-vous?</u>
   — Je vais bien, merci.

7. <u>Bonjour! Comment vous appelez-vous</u>
   — Je m'appelle Louise Labelle.
8. <u>Vous êtes artiste</u> ?
   — Oui, je suis artiste.
9. <u>Comment allez-vous</u> ?
   — Je vais bien, merci.

Exercice 2

Martine Landry

Michel Goncourt

Exemple:

Bonjour! Comment t'appelles-tu?
— Je m'appelle Martine Landry.

Tu es peintre?
— Oui, je suis peintre.

Comment vas-tu?
— Je vais bien, merci.

1. Bonjour! Comment t'appelles-tu?
   Je, m'appelle Michel Goncourt
2. Tu es secrétaire?
   Oui, Je suis secrètaire
3. Comment vas-tu?
   Je Vais bien, merci,

André Sénécal

Bernard Laplante

4. *Bonjour! Comment t appelles-tu?*
   — Je m'appelle André Sénécal.
5. *Tu es Journaliste* ?
   — Oui, je suis journaliste.
6. *Comment vas-tu* ?
   — Je vais bien, merci.

7. *Bonjour! Comment t'appelles-tu*
   — Je m'appelle Bernard Laplante.
8. *Tu es fleuriste* ?
   — Oui, je suis fleuriste.
9. *Comment vas-tu* ?
   — Je vais bien, merci.

11

Exercice 3

Exemple:
Elle est jeune.

1. _____

2. _____

3. _____

4. _____

5. _____

Exercice 4

Exemple:	Elle	est	jeune.
1.	Il		malade.
2.	Vous		triste.
3.	Elles		pauvres.
4.	Je		jeune.
5.	Tu		riche.
6.	Nous		malades.
7.	On		pauvres.
8.	Ils		tristes.
9.	Vous		jeunes.

Exercice 5

Exemple:	Tu	es	malade.
1.		suis	jeune.
2.		sont	pauvres.
3.		êtes	riches.
4.		es	jeune.
5.		sommes	malades
6.		est	pauvre.
7.		sont	tristes.
8.		est	jeune.
9.		êtes	pauvre.

Exercice 6

Exemple: Guy Bélanger est peintre?

— Non, il est photographe.

1. Michel Goncourt est artiste?

    _____

2. Aline Lévesque est journaliste?

    _____

3. Martine Landry est secrétaire?

    _____

4. André Sénécal est professeur?

    _____

5. Louise Labelle est fleuriste?

    _____

6. Bernard Laplante est dentiste?

    _____

Exercice 7 *

Exemples: Elles | sont | secrétaires | .

Je | suis | malade | .

1. Ils
2. On
3. Vous
4. Tu
5. Elle
6. Nous
7. Il

Question-test

Martine Landry est fleuriste?

_____

Martine Landry

---

* Les exercices suivis d'un astérisque (*) admettent plusieurs réponses: nous ne proposons pas de corrigé.

- Les questions débutant par "Quel est".
- Les adjectifs possessifs singuliers: "mon, ma, ton, ta, votre, son, sa".
- Les adjectifs de nationalité et les noms de profession.

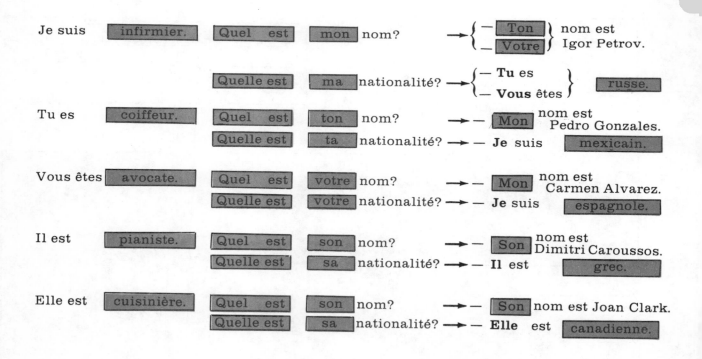

Je suis **infirmier.** **Quel est** **mon** nom? → { − **Ton** − **Votre** } nom est Igor Petrov.

Quelle est **ma** nationalité? → { − **Tu** es − **Vous** êtes } **russe.**

Tu es **coiffeur.** **Quel est** **ton** nom? → − **Mon** nom est Pedro Gonzales.

Quelle est **ta** nationalité? → − **Je** suis **mexicain.**

Vous êtes **avocate.** **Quel est** **votre** nom? → − **Mon** nom est Carmen Alvarez.

Quelle est **votre** nationalité? → − **Je** suis **espagnole.**

Il est **pianiste.** **Quel est** **son** nom? → − **Son** nom est Dimitri Caroussos.

Quelle est **sa** nationalité? → − **Il** est **grec.**

Elle est **cuisinière.** **Quel est** **son** nom? → − **Son** nom est Joan Clark.

Quelle est **sa** nationalité? → − **Elle** est **canadienne.**

Exercice 1

Igor Petrov

Russe, infirmier

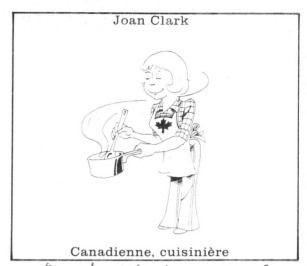

Joan Clark

Canadienne, cuisinière

Exemple:

Quel est ton nom?
— Mon nom est Igor Petrov.

Quelle est ta nationalité?
— Je suis russe.

Quel est ton métier?
— Je suis infirmier.

1. Quel est ton nom?
~~mon nom est Pedro Gonzales~~
mon nom est ~~Igor~~ Pedro Gonzales

2. Quel est ta nationalité?
Je suis Mexicain

3. Quel est ton mètier?
Je suis coiffeur.

Pedro Gonzales

Mexicain, coiffeur

Yoko Okada

Japonaise, épicière

4. _____ ?
_____

5. _____ ?
_____

6. _____ ?
_____

7. _____ ?
_____

8. _____ ?
_____

9. _____ ?
_____

Exercice 2

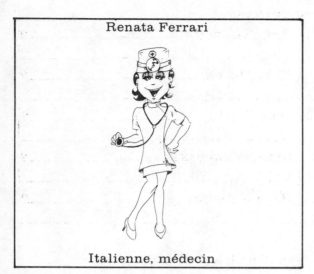

Renata Ferrari

Italienne, médecin

John Wilson

Jamaïcain, écrivain

Exemple:

Quel est votre nom?
   — Mon nom est Renata Ferrari.

Quelle est votre nationalité?
   — Je suis italienne.

Quelle est votre profession?
   — Je suis médecin.

1. _____ ?
   _____

2. _____ ?
   _____

3. _____ ?
   _____

Dimitri Caroussos

Grec, pianiste

Carmen Alvarez

Espagnole, avocate

4. _____ ?
   _____

5. _____ ?
   _____

6. _____ ?
   _____

7. _____ ?
   _____

8. _____ ?
   _____

9. _____ ?
   _____

Exercice 3

Exemple: Son nom est Igor Petrov. Quel est son métier?
— Il est infirmier.

1. _____ Pedro Gonzales _____ ?
   _____

2. _____ Yoko Okada. _____ ?
   _____

3. _____ Joan Clark. _____ ?
   _____

4. _____ Dimitri Caroussos. _____ ?
   _____

5. _____ Renata Ferrari. _____ ?
   _____

Exercice 4

Exemple: Il est écrivain. Quelle est sa nationalité?
— Il est jamaïcain.

1. _____ avocate. _____ ?
   _____

2. _____ coiffeur. _____ ?
   _____

3. _____ cuisinière. _____ ?
   _____

4. _____ pianiste. _____ ?
   _____

5. _____ médecin. _____ ?
   _____

Exercice 5

Exemple: Elle est espagnole. Quel est son nom?
— Son nom est Carmen Alvarez.

1. _____ japonaise. _____ ?
   _____

2. _____ grec. _____ ?
   _____

3. _____ canadienne. _____ ?
   _____

4. _____ russe. _____ ?
   _____

5. _____ mexicain. _____ ?
   _____

Question-test

Quel est votre nom?   Quelle est votre nationalité?

_____   _____

- **Les articles définis:** "le, l', la, les".
- **Le genre** (masculin/féminin) et le **nombre** (singulier/pluriel).

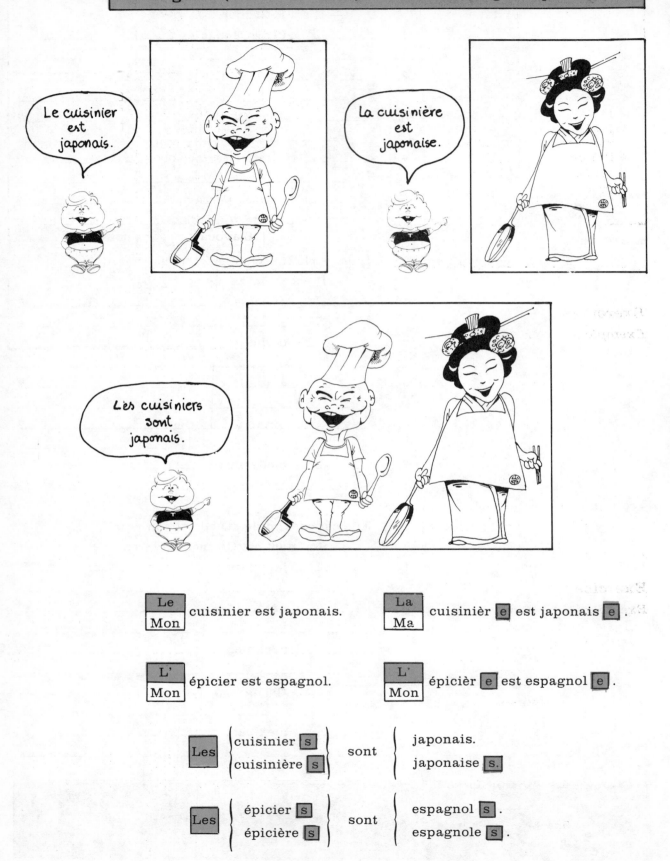

Il est ...	Elle est ...
mexicain	mexicaine
jamaïcain	jamaïcaine
japonais	japonaise
espagnol	espagnole
italien	italienne
canadien	canadienne
grec	grecque
	russe

Le photographe	La photographe
Le secrétaire	La secrétaire
Le fleuriste	La fleuriste
Le journaliste	La journaliste
Le pianiste	La pianiste
L'artiste	L'artiste
Le cuisinier	La cuisinière
L'épicier	L'épicière
L'infirmier	L'infirmière
L'avocat	L'avocate
Le coiffeur	La coiffeuse

Le professeur
Le peintre
Le dentiste
Le médecin
L'écrivain

Exercice 1

Exemple: **Le** pianiste est grec.

La pianiste est grecque.

1. **Le** journaliste est italien.

La Journaliste est italienne

2. **Le** photographe est mexicain.

La photographe est mexicaine

3. **L'**avocat est canadien.

_____

4. **L'**écrivain est jamaïcain.

_____

5. **L'**infirmier est grec.

_____

Exercice 2

Exemple: **Mon** fleuriste est espagnol.

Ma fleuriste est espagnole.

1. **Mon** coiffeur est italien.

_____

2. **Mon** secrétaire est japonais.

_____

3. **Mon** épicier est russe.

_____

4. **Mon** professeur est canadien.

_____

5. **Mon** médecin est jamaïcain.

_____

Exercice 3

Exemple: **Le** photographe est russe.

          Les photographes sont russes.

1. **La** fleuriste est jeune.

   _____

2. **L'**artiste est espagnol.

   _____

3. **La** cuisinière est italienne.

   _____

4. **L'**épicier est mexicain.

   _____

5. **L'**avocate est riche.

   _____

6. **Le** peintre est grec.

   _____

7. **Le** dentiste est triste.

   _____

8. **L'**écrivain est pauvre.

   _____

9. **Le** médecin est malade.

   _____

Exercice 4 *

Exemple: | Le | | peintre | est italien.

1. | | | sont malades.
2. | | | est espagnole.
3. | | | est jamaïcain.
4. | | | sont tristes.
5. | | | est mexicaine.
6. | | | sont riches.
7. | | | est japonaise.
8. | | | sont grecques.
9. | | | est canadienne.

Question-test

     [   ] infirmière [   ] [   ]

(sont, canadien, l', le, la, est, canadienne, canadiennes.)

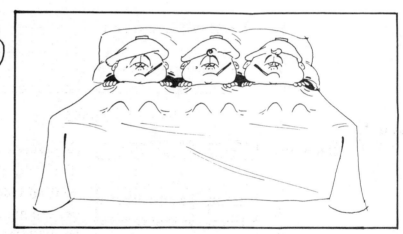

Est-ce que	je	suis	riche?	⟶	— Oui, { tu ês / vous êtes } riche.
	{ tu / vous } { es / êtes }		riche?	⟶	— Oui, je suis riche.
	vous	êtes	riches?	⟶	— Oui, nous sommes riches.
	nous	sommes	riches?	⟶	— Oui, { vous êtes / nous sommes } riches.
Est-ce qu'	on	est	riches?	⟶	— Oui, on est riches.
	il	est	riche?	⟶	— Oui, il est riche.
	elle	est	riche?	⟶	— Oui, elle est riche.
	ils	sont	riches?	⟶	— Oui, ils sont riches.
	elles	sont	riches?	⟶	— Oui, elles sont riches.

La famille de Paul Martel

Exercice 1

Je suis Paul Martel.

Exemples: Est-ce que Guy Martel est mon père?

— Oui, Guy Martel est ton père.

Est-ce que Marion Paradis est ma tante?

— Non, Marion Paradis est ta cousine.

1.   Est-ce que Gilles Martel est mon cousin?

   Non Grills martel est ta Oncle.

2.   Est-ce que Léonie Paradis est ma mère?

   Non Léonie Paradis est ta grand'mère

3.   Est-ce que Julie Martel est ma soeur?

   Oui Julie Martel est ta Soeur

4.   Est-ce que Normand Martel est mon grand-père?

   Non - Normand Martel est ton frère

5.   Est-ce que Diane Paradis est ma cousine?

   Non - Diane Paradis est ta Mere

6.   Est-ce qu'Émile Martel est mon oncle?

   Non - Emile Martel est ton oncle

Exercice 2

Exemple: Je m'appelle Paul Martel.
Diane Paradis est ma mère. Je suis son [F][I][L][S].

1. Je suis Stéphane Martel.
   Guy Martel est mon oncle. Je suis son [n][è][v][e][u].

fils *son*
fille *daughter*
mari *husband*
femme *wife*
neveu
nièce

2. Je m'appelle Marion Paradis.
   Reynald Paradis est mon père. Je suis sa [f][i][l][l][e].

3. Je suis Émile Martel.
   Madeleine Martel est ma [f][e][m][m][e].

4. Je suis Julie Martel.
   Jocelyne Martel est ma tante. Je suis sa [n][i][e][c][e].

5. Je suis Léonie Paradis.
   Roméo Paradis est mon [M][a][r][i].

Exercice 3

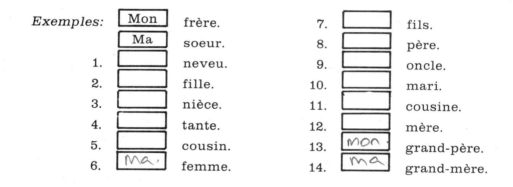

Exemples: [Mon] frère.   7. [ ] fils.
             [Ma] soeur.   8. [ ] père.
1. [ ] neveu.   9. [ ] oncle.
2. [ ] fille.   10. [ ] mari.
3. [ ] nièce.   11. [ ] cousine.
4. [ ] tante.   12. [ ] mère.
5. [ ] cousin.   13. [mon] grand-père.
6. [Ma] femme.   14. [ma] grand-mère.

Exercice 4

La famille:

Exercice 5 *

Est-ce que	mon	père	est	malade?
	ton	fils		artiste?
	son	soeur		mexicain?
	ma	nièce		jeune?
	ta	.....		infirmier?
	sa			.....
	votre			

Exemple: Est-ce que votre oncle est espagnol?
       — Non, il est italien.

1. _____ ?
   _____
2. _____ ?
   _____
3. _____ ?
   _____
4. _____ ?
   _____
5. _____ ?
   _____
6. _____ ?
   _____

Exercice 6 *

Votre famille:

Exemple: Mon père est cuisinier. Il s'appelle Igor. Il est russe.

_____
_____
_____
_____
_____

Question-test

Est-ce que votre père est italien?

_____

• Le verbe "avoir" au présent de l'indicatif.
• Les articles indéfinis: "un, une, des".

Normand est mon cousin. → J'ai un cousin.

Marion est ma cousine. → J'ai une cousine.

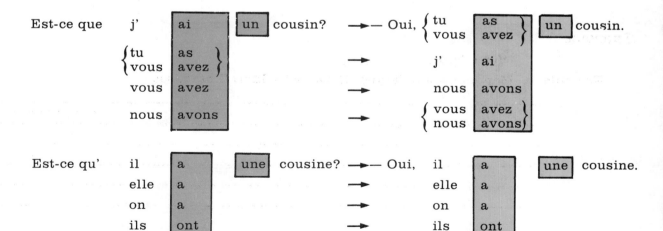

Est-ce que j' ai un cousin? → — Oui, {tu / vous} {as / avez} un cousin.

{tu / vous} {as / avez} → j' ai

vous avez → nous avons

nous avons → {vous / nous} {avez / avons}

Est-ce qu' il a une cousine? → — Oui, il a une cousine.

elle a → elle a

on a → on a

ils ont → ils ont

elles ont → elles ont

Qui a des cousins? → — Paul a des cousins.

des cousines? → — Pierre a des cousines.

Exercice 1

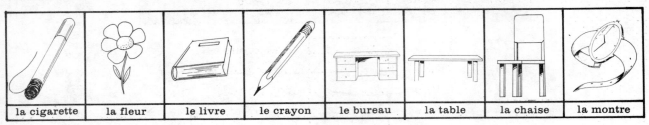

| la cigarette | la fleur | le livre | le crayon | le bureau | la table | la chaise | la montre |

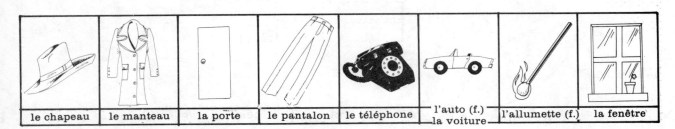

| le chapeau | le manteau | la porte | le pantalon | le téléphone | l'auto (f.) la voiture | l'allumette (f.) | la fenêtre |

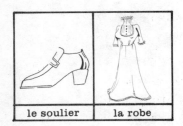

| le soulier | la robe |

Le soulier. → **Un** soulier.

La robe. → **Une** robe.

L'auto. → **Une** auto.

Les { souliers. / robes. → **Des** { souliers. / robes.

Exemple:	J'ai	une	cigarette.
1.	Tu as		fleurs.
2.	Nous avons		manteau.
3.	Vous avez		livre.
4.	J'ai		téléphone.
5.	Ils ont		pantalons.
6.	Elle a		robe.
7.	On a		crayon.
8.	Tu as		allumettes.
9.	J'ai		chaise.
10.	Elles ont		bureau.
11.	Il a		souliers.
12.	Nous avons		chapeau.
13.	Vous avez		table.
14.	On a		montre.

Exercice 2

Exemple: Nous [avons] un frère.

1. J' [ ] une soeur.
2. Il [ ] une cousine.
3. Vous [ ] des tantes.
4. Elles [ ] des cousins.
5. Tu [ ] une fille.
6. Elle [ ] un oncle.
7. On [ ] des frères.

Exercice 3

Exemple: [J'] ai [des] secrétaires.

1. [ ] avons [ ] infirmière.
2. [ ] ont [ ] épicier.
3. [ ] a [ ] médecin.
4. [ ] avez [ ] coiffeuse.
5. [ ] ont [ ] dentiste.
6. [ ] as [ ] épicière.
7. [ ] ai [ ] filles.
8. [ ] a [ ] soeurs.
9. [ ] ont [ ] frère.
10. [ ] avons [ ] oncles.
11. [ ] avez [ ] tante.
12. [ ] as [ ] fils.

Exercice 4 *

Exemple: Qui a [une] [tante] ?
— J'ai une tante.

1. Qui a [ ] [ ] ?
— Nous _____
2. Qui a [ ] [ ] ?
— Elle _____
3. Qui a [ ] [ ] ?
— Vous _____
4. Qui a [ ] [ ] ?
— Ils _____
5. Qui a [ ] [ ] ?
— Tu _____

Exercice 5 *

Exemple: Est-ce que tu as un bureau?
— Oui, j'ai un bureau.

1. Est-ce que vous avez des _____ ?
   _____

2. Est-ce qu'elle a une _____ ?
   _____

3. Est-ce que nous avons un _____ ?
   _____

4. Est-ce que nous avons des _____ ?
   _____

5. Est-ce que tu as une _____ ?
   _____

6. Est-ce qu'on a un _____ ?
   _____

7. Est-ce qu'ils ont des _____ ?
   _____

8. Est-ce qu'elles ont des _____ ?
   _____

9. Est-ce que j'ai une _____ ?
   _____

10. Est-ce qu'il a un _____ ?
    _____

Question-test

Est-ce que tu [＿＿＿] [＿＿＿] cousin?

— Non, j' [＿＿＿] [＿＿＿] cousine.

28

• L'interrogation par inversion avec "être" et "avoir";
  avec "Combien de";
  avec "Quel".

• Les nombres de 1 à 25.

Combien d'enfants a-t-elle?

Elle a quatre enfants.

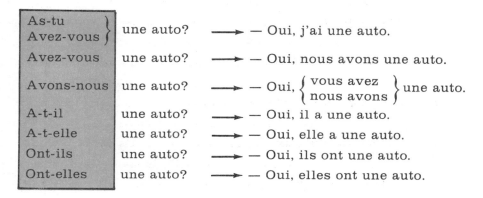

As-tu / Avez-vous } une auto? ⟶ — Oui, j'ai une auto.

Avez-vous une auto? ⟶ — Oui, nous avons une auto.

Avons-nous une auto? ⟶ — Oui, { vous avez / nous avons } une auto.

A-t-il une auto? ⟶ — Oui, il a une auto.

A-t-elle une auto? ⟶ — Oui, elle a une auto.

Ont-ils une auto? ⟶ — Oui, ils ont une auto.

Ont-elles une auto? ⟶ — Oui, elles ont une auto.

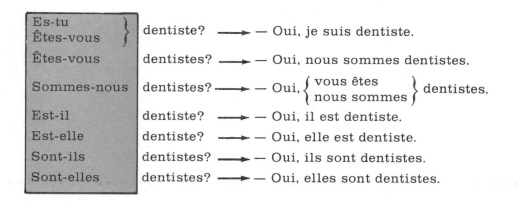

Es-tu / Êtes-vous } dentiste? ⟶ — Oui, je suis dentiste.

Êtes-vous dentistes? ⟶ — Oui, nous sommes dentistes.

Sommes-nous dentistes? ⟶ — Oui, { vous êtes / nous sommes } dentistes.

Est-il dentiste? ⟶ — Oui, il est dentiste.

Est-elle dentiste? ⟶ — Oui, elle est dentiste.

Sont-ils dentistes? ⟶ — Oui, ils sont dentistes.

Sont-elles dentistes? ⟶ — Oui, elles sont dentistes.

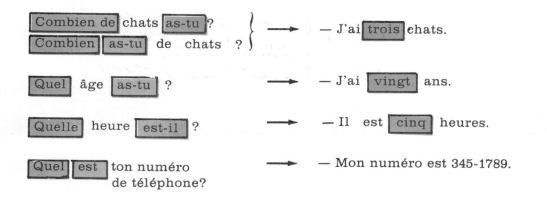

Combien de chats as-tu ?
Combien as-tu de chats ? } ⟶ — J'ai trois chats.

Quel âge as-tu ? ⟶ — J'ai vingt ans.

Quelle heure est-il ? ⟶ — Il est cinq heures.

Quel est ton numéro de téléphone? ⟶ — Mon numéro est 345-1789.

Exercice 1

Exemple: Ont-ils une auto?

— Oui, ils ont une auto.

1. _____ ?

— Oui, elle a une robe.

2. _____ ?

— Oui, elles ont des fleurs.

3. _____ ?

— Oui, il a des cigarettes.

4. _____ ?

— Oui, ils ont des livres.

Exercice 2

Exemple: Est-il dentiste?

— Oui, il est dentiste.

1. _____ ?

— Oui, ils sont cuisiniers.

2. _____ ?

— Oui, elles sont photographes.

3. _____ ?

— Oui, il est fleuriste.

4. _____ ?

— Oui, elle est professeur.

Exercice 3

Exemples: Sont-elles artistes?

— Oui, elles sont artistes.

Ont-elles des cigarettes?

— Oui, elles ont des cigarettes.

1. _____ ?

— Oui, il _____ un chapeau.

2. _____ ?

— Oui, elle _____ malade.

3. _____ ?

— Oui, ils _____ un manteau.

4. _____ ?

— Oui, il _____ coiffeur.

5. _____ ?

— Oui, elles _____ un bureau.

6. _____ ?

— Oui, elle _____ une soeur.

Exercice 4 *

Exemples:

Avez-vous une montre?

— Oui, { j'ai une montre.
         { nous avons une montre.

As-tu des allumettes?

— Oui, j'ai des allumettes.

1. Avez-vous un _____ ?

   _____

   _____

2. As-tu une _____ ?

   _____

3. Avez-vous des _____ ?

   _____

4. As-tu des _____ ?

   _____

5. Avez-vous une _____ ?

   _____

   _____

Exercice 5

Exemples:

Êtes-vous canadiens?

— Oui, nous sommes canadiens.

Êtes-vous canadien?

— Oui, je suis canadien.

Es-tu canadien?

— Oui, je suis canadien.

1. Es-tu écrivain?

   _____

2. Êtes-vous russes?

   _____

3. Êtes-vous infirmière?

   _____

4. Es-tu japonaise?

   _____

5. Êtes-vous coiffeurs?

   _____

6. Êtes-vous mexicaines?

   _____

Exercice 6

1 un
2 deux
3 trois
4 quatre
5 cinq
6 six
7 sept
8 huit
9 neuf
10 dix

Exercice 7

11 onze
12 douze
13 treize
14 quatorze
15 quinze
16 seize
17 dix-sept
18 dix-huit
19 dix-neuf
20 vingt
21 vingt et un
22 vingt-deux
23 vingt-trois
24 vingt-quatre
25 vingt-cinq

Exercice 8

Exemple: 3 + 5 = huit.

1.   8 + 4 = _____ .   6.   24 – 7 = _____ .
2.   15 + 6 = _____ .   7.   18 – 3 = _____ .
3.   7 + 2 = _____ .   8.   13 – 8 = _____ .
4.   13 + 1 = _____ .   9.   14 – 3 = _____ .
5.   14 + 9 = _____ .   10. 21 – 1 = _____ .

Exercice 9

Exemple:
Combien de chiens a-t-il?

— Il a trois chiens.

1.   Combien de clés _____ ?
_____

2.   Combien de chats _____ ?
_____

3.   Combien d'amies _____ ?
_____

4.   Combien d'enfants _____ ?
_____

5.   Combien de parapluies _____?
_____

Exercice 10

Quelle heure est-il?

Exemples: 10h = Il est dix heures.

12h = Il est midi.

15h = Il est trois heures. (Il est quinze heures.)

24h = Il est minuit.

1. 11h = _____

2. 16h = _____

3. 19h = _____

4. 22h = _____

5. 8h = _____

6. 12h = _____

Exercice 11 *

Exemple: Quel est mon numéro de téléphone?

— Ton numéro de téléphone est 369-0478 .

1. _____ ?

— Son numéro de téléphone est [   ] .

2. _____ ?

— Votre numéro de téléphone est [   ] .

3. _____ ?

— Mon numéro de téléphone est [   ] .

Exercice 12 *

Exemple: Quel âge as-tu?

— J'ai quinze ans .

1. _____ ?

— Elle a [   ] .

2. _____ ?

— Nous avons [   ] .

3. _____ ?

— Il a [   ] .

4. _____ ?

— Elles ont [   ] .

5. _____ ?

— Ils ont [   ] .

Question-test

Quelle heure est-il?

(14h) _____

- "Il y a".
- **Les compléments de lieu**
  introduits par "**sur, sous, dans, devant, derrière, entre**".

| Qu'est-ce qu'il y a | sous le lit? | → — | Il y a | **un homme** sous le lit. |

| Est-ce qu'il y a | un homme sous le lit? | → — Oui, | Il y a | **un homme sous le lit.** |

| Où est-ce qu'il y a | un homme? | → — | Il y a | un homme **sous le lit.** |

Qu'est-ce qu'il y a **sur** l'arbre ?
sous la table ?
dans la maison ?
entre les livres ?
devant la fenêtre ?
derrière la porte ?

Exercice 1

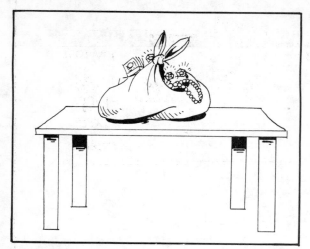

Exemple:
Qu'est-ce qu'il y a sur la table?

— Il y a un sac sur la table.

1. _____ ?

— Il y a un homme sous le lit.

2. _____ ?

— Il y a un voleur dans la maison.

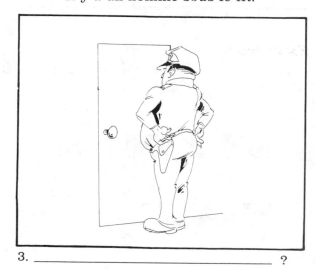

3. _____ ?

— Il y a un policier devant la porte.

4. _____ ?

— Il y a des policiers derrière le voleur.

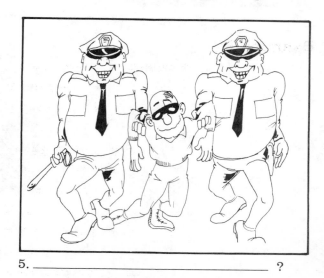

5. _____ ?

— Il y a un voleur entre les policiers.

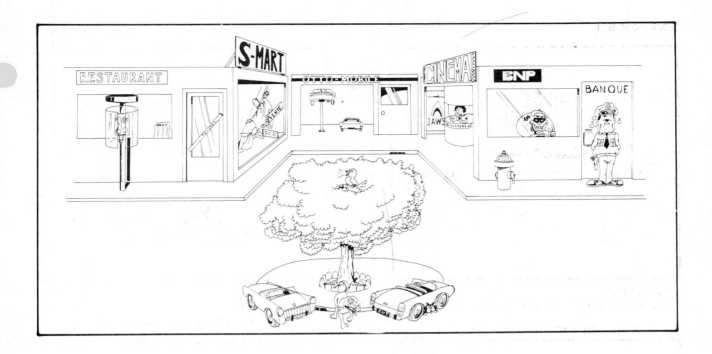

Exercice 2

Exemple: (oiseau)   Où est-ce qu'il y a un oiseau?

   — Il y a un oiseau sur l'arbre.

1. (chien)   _____ ?

    _____

2. (chat)   _____ ?

    _____

3. (voleur)   _____ ?

    _____

4. (policier) _____ ?

    _____

5. (téléphone) _____ ?

    _____

Exercice 3

Exemple: Est-ce qu'il y a un policier sur l'arbre?

   — Non, il y a un policier devant la banque.

1.   Est-ce qu'il y a un chien dans le restaurant?

    _____

2.   Est-ce qu'il y a un chat derrière le téléphone?

    _____

3.   Est-ce qu'il y a un voleur dans le cinéma?

    _____

4.   Est-ce qu'il y a un téléphone devant le magasin?

    _____

5.   Est-ce qu'il y a une auto devant le garage?

    _____

Exercice 4 *

Exemples: **Qu'est-ce qu'il y a** sous le lit?
  — Il y a **un homme** sous le lit.
  Est-ce qu'il y a un homme sous le lit?
  — **Oui, il y a** un homme sous le lit.
  Où est-ce qu'il y a un homme?
  — Il y a un homme **sous le lit**.

1. **Qu'est-ce qu'il y a** derrière la porte?

    _____

2. **Est-ce qu'il y a** un policier sur l'arbre?

    _____

3. **Où est-ce qu'il y a** un autobus?

    _____

4. **Est-ce qu'il y a** un téléphone dans la rue?

    _____

5. **Qu'est-ce qu'il y a** entre les maisons?

    _____

6. **Où est-ce qu'il y a** un chat?

    _____

7. **Est-ce qu'il y a** un policier entre les voleurs?

    _____

8. **Qu'est-ce qu'il y a** dans le garage?

    _____

9. **Où est-ce qu'il y a** un cinéma?

    _____

10. **Est-ce qu'il y a** _____ ?

    _____

11. **Qu'est-ce qu'il y a** _____ ?

    _____

12. **Où est-ce qu'il y a** _____ ?

    _____

Question-test

Où est-ce qu'il y a un chat?

_____

- Les questions débutant par "Qu'est-ce que... (faire)".
- Les verbes du 1er groupe au présent de l'indicatif.

Elle fume la pipe.

Ils dansent.

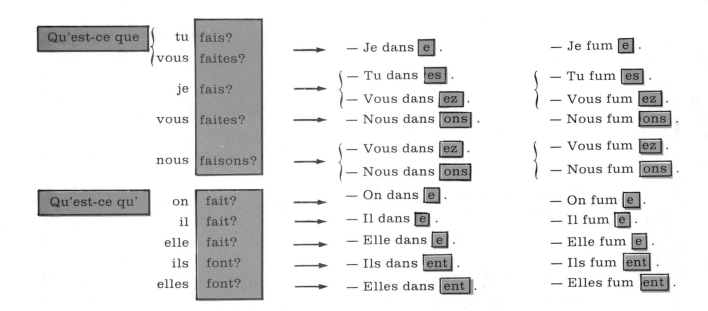

Qu'est-ce que { tu fais? / vous faites? }

⟶ — Je dans e .

— Je fum e .

je fais?

{ — Tu dans es . / — Vous dans ez . }

{ — Tu fum es . / — Vous fum ez . }

vous faites? ⟶ — Nous dans ons .

— Nous fum ons .

nous faisons? ⟶ { — Vous dans ez . / — Nous dans ons }

{ — Vous fum ez . / — Nous fum ons . }

Qu'est-ce qu' on fait? ⟶ — On dans e .

— On fum e .

il fait? ⟶ — Il dans e .

— Il fum e .

elle fait? ⟶ — Elle dans e .

— Elle fum e .

ils font? ⟶ — Ils dans ent .

— Ils fum ent .

elles font? ⟶ — Elles dans ent .

— Elles fum ent .

Exercice 1

Exemple: téléphoner

    1. jouer
    2. préparer le souper
    3. regarder la télévision
    4. danser

Exemple: Elles téléphonent.

40

Exercice 2

Exemple: fumer la pipe
1. travailler dans son garage
2. écouter la radio
3. laver la vaisselle
4. étudier sa leçon

Exemple: — Elle fume la pipe.

Exercice 3

Exemple: Qu'est-ce que tu [fais] ?

(étudier) — J'étudie ma leçon.

1. Qu'est-ce que vous [_____] ?

   (fumer) _____

2. Qu'est-ce qu'il [_____] ?

   (danser) _____

3. Qu'est-ce que je [_____] ?

   (téléphoner) _____

4. Qu'est-ce que nous [_____] ?

   (laver) _____

5. Qu'est-ce qu'elle [_____] ?

   (jouer) _____

6. Qu'est-ce qu'ils [_____] ?

   (écouter) _____

7. Qu'est-ce que tu [_____] ?

   (préparer) _____

8. Qu'est-ce qu'elles [_____] ?

   (regarder) _____

9. Qu'est-ce que je [_____] ?

   (travailler) _____

Exercice 4 *

Exemple: Tu écoutes la radio?

— Non, je regarde la télévision.

1. Vous lavez la vaisselle?

   — Non, _____

2. Elle étudie sa leçon?

   — Non, _____

3. Tu travailles dans ton garage?

   — Non, _____

4. Nous dansons?

   — Non, _____

5. Vous regardez la télévision?

   — Non, _____

6. Je prépare le souper?

   — Non, _____

Exercice 5

Exemple: On   [D][A][N][S][E]   dans le salon.

1.   Ils   [ ][ ][ ][ ][ ][ ][ ][ ]   la radio.
2.   Vous   [ ][ ][ ][ ][ ]   la pipe.
3.   Elle   [ ][ ][ ][ ][ ][ ]   sa leçon.
4.   Tu   [ ][ ][ ][ ][ ][ ][ ][ ]   le souper.
5.   Vous   [ ][ ][ ][ ][ ][ ]   la vaisselle.
6.   Je   [ ][ ][ ][ ]   dans le jardin.
7.   Nous   [ ][ ][ ][ ][ ][ ][ ][ ][ ][ ]   dans le garage.
8.   Tu   [ ][ ][ ][ ][ ][ ][ ]   la télévision.

Exercice 6 *

Qu'est-ce que vous faites à la maison?   votre père?

votre mère?   votre mari?   votre femme?   les enfants?

_____

_____

_____

_____

_____

_____

_____

_____

_____

_____

Question-test

Qu'est-ce qu'ils font?

_____

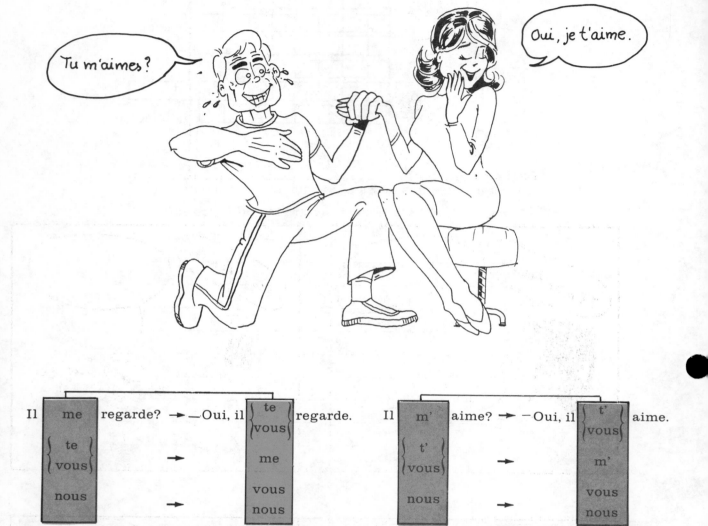

Il me regarde? → —Oui, il {te/vous} regarde.   Il m' aime? → —Oui, il {t'/vous} aime.

{te/vous} → me   {t'/vous} → m'

nous → vous   nous → vous

nous   nous

Il cherche {le/mon/ton/son/votre} parapluie ? → —Oui, il le cherche.   Il a {le/mon/ton/son/votre} parapluie ? → —Oui, il l' a.

Il cherche {la/ma/ta/sa/votre} clé ? → —Oui, il la cherche.   Il a {la/ma/ta/sa/votre} clé ? → —Oui, il l' a.

Il cherche les cigarettes ? → —Oui, il les cherche.   Il a les cigarettes ? → —Oui, il les a.

44

Exercice 1

Exemple:

1.

2.

3.

4.

Exercice 2

Exemple: — Oui, il l'explique.

1.

2.

3.

4.

Exercice 3

Exemple: Tu laves le chien .

Tu le laves.

1. Je regarde **l'oiseau**.

   _____

2. Elles cherchent **les cigarettes**.

   _____

3. Il embrasse **le bébé**.

   _____

4. Vous écoutez **le professeur**.

   _____

5. Nous portons **les livres**.

   _____

6. Elle prépare **la leçon**.

   _____

7. J'ai **les clés**.

   _____

Exercice 4

Exemple: Est-ce qu'elle cherche son chat ?

— Oui, elle le cherche.

1. Est-ce que tu aimes **ton dentiste**?

   _____

2. Est-ce qu'il garde **sa soeur**?

   _____

3. Est-ce que j'écoute **ma mère**?

   _____

4. Est-ce que tu cherches **mon parapluie**?

   _____

5. Est-ce qu'elle embrasse **son père**?

   _____

6. Est-ce que vous avez **votre clé**?

   _____

7. Est-ce que nous avons **son livre**?

   _____

Question-test

Est-ce que tu m'aimes?

— Oui, _____

- **Révision des objectifs 1 à 9.**
- **La phrase simple au présent de l'indicatif renfermant deux compléments:**
    un complément d'objet direct;
    un complément de lieu,   de temps.

Quel est son nom?

Quel est ton métier?

Est-ce qu'elle a une voiture?

Combien d'enfants a-t-il?

Qu'est-ce qu'il y a sur l'arbre?

Où est-ce qu'ils préparent le souper?

Qu'est-ce que vous faites dans la cuisine?

Qu'est-ce que tu fais à midi?

Vous réparez	les chaises	à midi.
	la télévision	à huit heures.
	votre voiture	à minuit.

À midi,	vous réparez	les chaises.
À huit heures,		la télévision.
À minuit,		votre voiture.

Elle cherche	son chat	sous le lit. (good)
	Paul	dans la cuisine.
	le parapluie	derrière le garage.

umbrella.

48

Exercice 1 *

Exemple: **Qu'est-ce que vous faites** à midi?

　　{ — À midi, j'**écoute la radio**.
　　{ — J'**écoute la radio** à midi.

what are they doing at (quel heures o'clock)

1. **Qu'est-ce qu'elles font** à huit heures?

　　Elles cherchent la parapluie
　　a huit heures.

2. **Qu'est-ce que je fais** à onze heures?

　　Je réparez les chaises avez
　　Onze heures.

3. **Qu'est-ce qu'on fait** à six heures?

　　Vous réparez les chaises
　　six heures.

Exercice 2 *

Exemple: **Qu'est-ce qu'il fait** dans la cuisine?

　　— **Il prépare le souper.**

arbre-tree
coupe-cut.
l'herbe - grass
nous peinturons le garage
(painting)

1. **Qu'est-ce que vous faites** dans le salon?

　　nous regardons la TV dans le salon

2. **Qu'est-ce que tu fais** dans le jardin?

　　Je arrose les plants dans le jardin

3. **Qu'est-ce que nous faisons** dans le garage?

　　nous réparons la voiture dans la garage.

4. **Qu'est-ce qu'ils font** derrière la maison?

　　Ils coupent un arbre

Exercice 3 *

Exemple: **Où est-ce que** ta mère prépare le souper?

　　— Elle prépare le souper **dans la cuisine.**

brother

1. **Où est-ce que** ton frère fume la pipe?

2. **Où est-ce que** tu répares ton auto?

3. **Où est-ce qu'**il y a des arbres?

4. **Où est-ce que** ta soeur garde les enfants?

　　Ma soeur garde les enfants ton
　　de la maison

Exercice 4 *

Exemple: Qu'est-ce qu'il y a sur l'arbre?

— Il y a un chat sur l'arbre.

1. _____ sous le lit?

_____

2. _____ devant la porte?

_____

3. _____ derrière la télévision?

_____

4. _____ dans ta valise?

_____

5. _____ entre les livres?

_____

6. _____ dans le bureau?

_____

Exercice 5 *

Exemples:	Je	regarde	l'oiseau	sur l'arbre
	Nous	écoutons	la radio	à midi

1.	Elles	préparent		
2.	Vous	lavez		
3.	Il	cherche		
4.	Tu	étudies		
5.	Nous	fumons		
6.	Vous	réparez		
7.	Je	garde		
8.	Elle	porte		
9.	Tu	manges		
10.	Vous	regardez		
11.	Je	cherche		
12.	On	prépare		

Exercice 6 *

"Je m'appelle Guy Bélanger. Je suis photographe.
Ma femme s'appelle Suzanne. Elle est infirmière.
Nous avons deux filles. Elles jouent dans
le jardin. Je répare mon auto derrière
la maison. Suzanne regarde la télévision dans
le salon."

Exemple: Quel est son nom?

— Son nom est Guy Bélanger.

1.   Quel est son métier?

   _____

2.   Est-ce qu'il a une femme?

   _____

3.   Quel est son nom?

   _____

4.   Quel est son métier?

   _____

5.   Combien d'enfants ont-ils?

   _____

6.   Qu'est-ce qu'elles font?

   _____

7.   Où est-ce que Guy répare son auto?

   _____

8.   Qu'est-ce que Suzanne fait dans le salon?

   _____

Question-test

Tu cherches [   ] [   ].

51

- L'impératif présent des verbes du 1er groupe.
- Les articles partitifs: "du, de l', de la, des".

Mangez du pain!

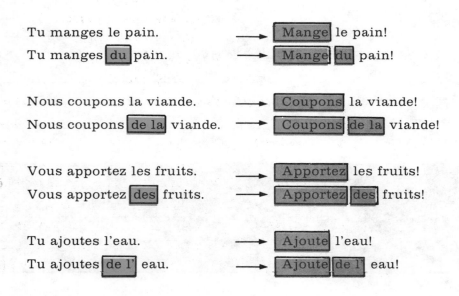

Tu manges le pain.	→	Mange le pain!
Tu manges du pain.	→	Mange du pain!
Nous coupons la viande.	→	Coupons la viande!
Nous coupons de la viande.	→	Coupons de la viande!
Vous apportez les fruits.	→	Apportez les fruits!
Vous apportez des fruits.	→	Apportez des fruits!
Tu ajoutes l'eau.	→	Ajoute l'eau!
Tu ajoutes de l' eau.	→	Ajoute de l' eau!

Exercice 1

Exemple: entrer

1. traverser

2. monter

3. arrêter

4. fermer

5. signer

Exercice 2

Exemples:	(fermer)	Tu fermes la porte.
		Ferme la porte!
		Nous fermons la porte.
		Fermons la porte!
		Vous fermez la porte.
		Fermez la porte!

1. (traverser) Vous _____ la rue.

_____

2. (entrer) Tu _____ dans le magasin.

_____

3. (signer) Nous _____ les chèques.

_____

4. (arrêter) Vous _____ votre voiture.

_____

5. (monter) Nous _____ dans la chambre.

_____

6. (signer) Tu _____ ton nom.

_____

Exercice 3 *

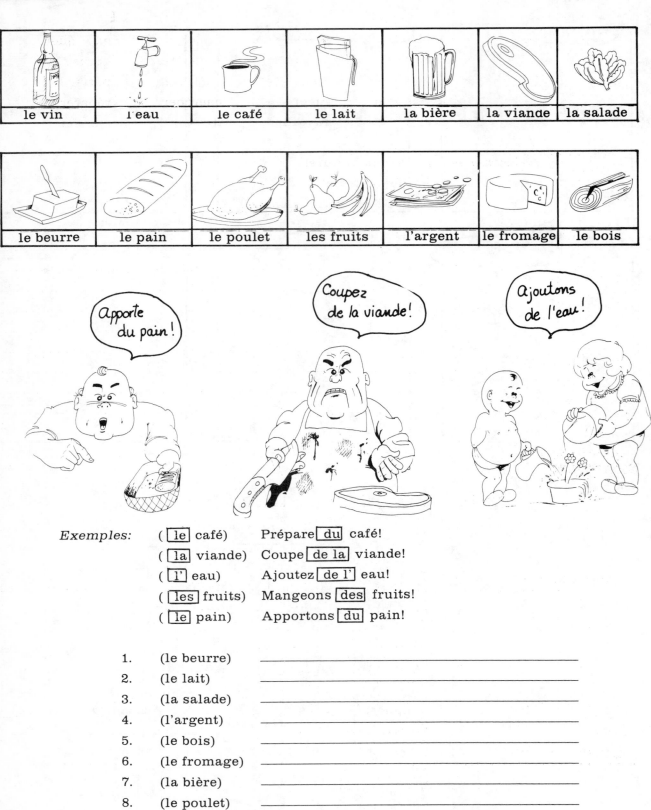

le vin	l'eau	le café	le lait	la bière	la viande	la salade

le beurre	le pain	le poulet	les fruits	l'argent	le fromage	le bois

Apporte du pain!

Coupez de la viande!

Ajoutons de l'eau!

Exemples: (le café)   Prépare du café!

(la viande)   Coupe de la viande!

(l' eau)   Ajoutez de l' eau!

(les fruits)   Mangeons des fruits!

(le pain)   Apportons du pain!

1.   (le beurre)   _____

2.   (le lait)   _____

3.   (la salade)   _____

4.   (l'argent)   _____

5.   (le bois)   _____

6.   (le fromage)   _____

7.   (la bière)   _____

8.   (le poulet)   _____

9.   (le vin)   _____

54

Exercice 4 *

jouer	danser	aimer	expliquer
regarder	préparer	rencontrer	garder
écouter	étudier	embrasser	porter
téléphoner	fumer	chercher	réparer
laver	travailler	trouver	manger

Exemples: Lavons la voiture!
           Garde ton frère!
           Fumez dans votre chambre!

1. _____
2. _____
3. _____
4. _____
5. _____
6. _____
7. _____
8. _____
9. _____
10. _____

Exercice 5

Exemple: | R | É | P | A | R | O | N | S | l'auto!

1. | E | | | | | | | E | ta mère!
2. | | | | E | | | | le gâteau!
3. | | | | E | | E | la rue!
4. | E | | | | | | dans le magasin!
5. | É | | | E | | votre leçon!
6. | | É | | | E | le souper!
7. | É | | | | E | | votre professeur!
8. | | E | | E | | la porte!
9. | | | | | E | ton chèque!
10. | | | E | la vaisselle!

Question-test

_____ **votre leçon!**

(étudier)

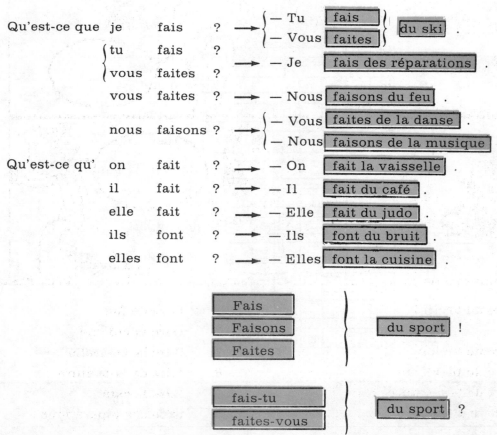

Qu'est-ce que je fais ? ⟶ { — Tu [fais] } [du ski] .
— Vous [faites]

{ tu fais ? } ⟶ — Je [fais des réparations] .
vous faites ?

vous faites ? ⟶ — Nous [faisons du feu] .

nous faisons ? ⟶ { — Vous [faites de la danse] .
— Nous [faisons de la musique] .

Qu'est-ce qu' on fait ? ⟶ — On [fait la vaisselle] .

il fait ? ⟶ — Il [fait du café] .

elle fait ? ⟶ — Elle [fait du judo] .

ils font ? ⟶ — Ils [font du bruit] .

elles font ? ⟶ — Elles [font la cuisine] .

[Fais]
[Faisons] } [du sport] !
[Faites]

[fais-tu] } [du sport] ?
[faites-vous]

Exercice 1

Exemple: faire du bruit

1. faire du violon
2. faire du piano
3. faire de la peinture
4. faire le ménage

5. faire du feu
6. faire la cuisine
7. faire la vaisselle
8. faire de la couture
9. faire le café
10. faire des réparations

Nous faisons du sport.

Exemple: faire du ski

1. faire de la natation
2. faire du bateau
3. faire de la bicyclette
4. faire du cheval
5. faire de la raquette
6. faire du judo
7. faire du tennis
8. faire de la danse
9. faire de la marche

Exercice 3 *

Exemples: Fais du sport!

Faisons de la bicyclette!

Faites du ski!

1. _____
2. _____
3. _____
4. _____
5. _____
6. _____

Exercice 4 *

Exemple: Qu'est-ce qu'il [fait] ?

— Il fait du cheval.

1. Qu'est-ce qu'ils [   ] ?

   _____

2. Qu'est-ce qu'elle [   ] ?

   _____

3. Qu'est-ce qu'il [   ] ?

   _____

4. Qu'est-ce qu'elle [   ] ?

   _____

Exercice 5 *

Exemple: Fais-tu [du][ski] ?

— Non, je fais de la marche.

1. Faites-vous [   ] [   ] ?

   _____

2. Fais-tu [   ] [   ] ?

   _____

3. Faites-vous [   ] [   ] ?

   _____

Exercice 6

Exemple:

		J	E
1.		T	U
2.		I	L
3.	N	O	U	S
4.		V	O	U	S
5.	E	L	L	E	S
6.		I	L	S

F A I S
F
F
F
F
F
F

D U

V I O L O N
B
J
F
C
S
·B

Question-test

Qu'est-ce que vous faites?

_____

59

Il pense à sa secrétaire...

Il rêve aux vacances...

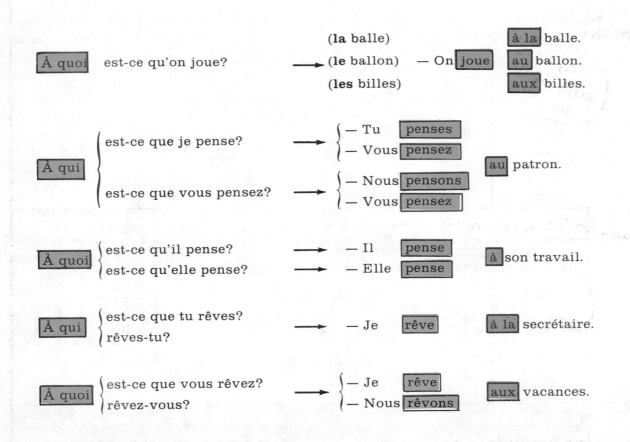

| À quoi | est-ce qu'on joue? | → | (**la** balle) (**le** ballon) — On joue (**les** billes) | à la balle. au ballon. aux billes. |

À qui
est-ce que je pense? → — Tu penses / — Vous pensez
est-ce que vous pensez? → — Nous pensons / — Vous pensez
au patron.

À quoi
est-ce qu'il pense? → — Il pense
est-ce qu'elle pense? → — Elle pense
à son travail.

À qui
est-ce que tu rêves?
rêves-tu? → — Je rêve à la secrétaire.

À quoi
est-ce que vous rêvez?
rêvez-vous? → — Je rêve / — Nous rêvons aux vacances.

Exercice 1

Exemple: —Il parle aux enfants.

1. _____

2. _____

3. _____

Exercice 2

Exemple: —Elle raconte une histoire à sa poupée.

1. —Il pense à sa secrétaire.

2. —Elle prête de l'argent à sa nièce.

3. —Elle donne un cadeau à son ami.

Exercice 3 *

Exemple: Est-ce que tu téléphones à Michel?

— Non, je téléphone à Martine.

1. Est-ce que je joue au hockey?

_____

2. Est-ce qu'elle parle à sa mère?

_____

3. Est-ce que vous racontez une histoire à votre fille?

_____

4. Est-ce qu'il donne son devoir au professeur?

_____

5. Est-ce qu'on chante une chanson à Guy?

_____

6. Est-ce qu'elles ressemblent à leur père?

_____

7. Est-ce que tu penses à ta secrétaire?

_____

Exercice 4

Exemples: À qui penses-tu?

— Je pense à Aline.

À qui est-ce qu'il pense?

— Il pense à Aline.

1. _____ ?

— Je demande une bière à Chantal.

2. _____ ?

— Il apporte le souper aux enfants.

3. _____ ?

— Je signe un chèque à André.

4. _____ ?

— Nous expliquons le chemin à Pierre.

5. _____ ?

— Elle téléphone à son ami.

6. _____ ?

— Il prête sa montre à son frère.

7. _____ ?

— Je donne des fleurs à ma grand-mère.

8. _____ ?

— Elle fait du café à Paul.

Exercice 5

Exemples: $\boxed{\text{À quoi}}$ est-ce qu'il pense?

— Il pense $\boxed{\text{à son travail.}}$

$\boxed{\text{À qui}}$ est-ce qu'il pense?

— Il pense $\boxed{\text{à sa secrétaire.}}$

1. _____ ?

— Elle joue **au tennis**.

2. _____ ?

— Tu expliques la leçon **à ton frère**.

3. _____ ?

— Il rêve **à son bateau**.

4. _____ ?

— Vous donnez les clés **à Jean**.

5. _____ ?

— Tu prêtes de l'argent **à Martine**.

6. _____ ?

— Le garage ressemble **à la maison**.

Exercice 6

Exemple:	Nous	R	A	C	O	N	T	O	N	S	une histoire à Jean.

1. Il | | | | E | un cadeau à sa cousine.
2. Je | | | | | E | une chanson à Paul.
3. Tu | | | | E | un chèque à l'épicier.
4. Vous | | | E | au tennis.
5. Elle | | Ê | | E | aux vacances.
6. Nous | | | Ê | | | | de l'argent à Guy.
7. Ils | | E | | | | E | | des cigarettes à Martine.
8. Tu | | E | | | E | | | E | à ton frère.
9. Je | | | | E | à la secrétaire.
10. Nous | | E | | | | à notre travail.
11. Elle | | É | | É | | | E | à sa mère.
12. Ils | E | | | | | | E | | les devoirs aux enfants.

Question-test

À quoi penses-tu?

_____

- **Les questions débutant par "Quand" et par "À quelle heure".**
- **Les compléments de temps.**

Il travaille | le matin | l'après-midi | le soir | la nuit

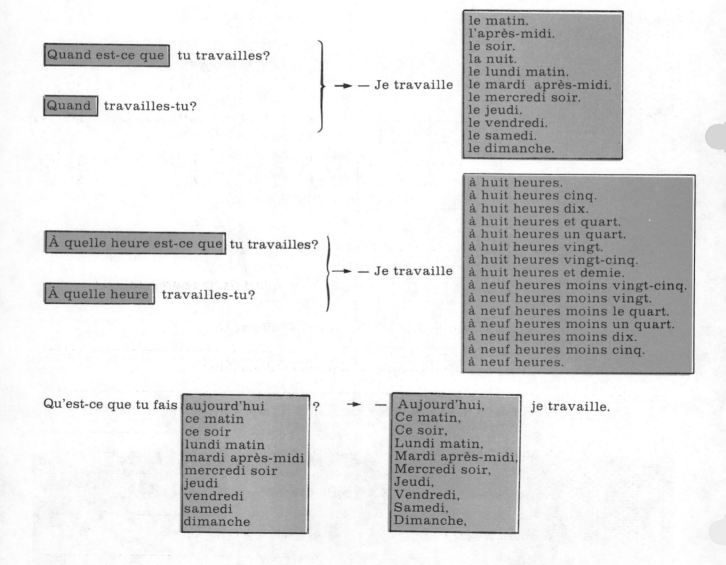

Quand est-ce que tu travailles?

Quand travailles-tu?

→ — Je travaille

le matin.
l'après-midi.
le soir.
la nuit.
le lundi matin.
le mardi après-midi.
le mercredi soir.
le jeudi.
le vendredi.
le samedi.
le dimanche.

À quelle heure est-ce que tu travailles?

À quelle heure travailles-tu?

→ — Je travaille

à huit heures.
à huit heures cinq.
à huit heures dix.
à huit heures et quart.
à huit heures un quart.
à huit heures vingt.
à huit heures vingt-cinq.
à huit heures et demie.
à neuf heures moins vingt-cinq.
à neuf heures moins vingt.
à neuf heures moins le quart.
à neuf heures moins un quart.
à neuf heures moins dix.
à neuf heures moins cinq.
à neuf heures.

Qu'est-ce que tu fais

aujourd'hui
ce matin
ce soir
lundi matin
mardi après-midi
mercredi soir
jeudi
vendredi
samedi
dimanche

? → —

Aujourd'hui,
Ce matin,
Ce soir,
Lundi matin,
Mardi après-midi,
Mercredi soir,
Jeudi,
Vendredi,
Samedi,
Dimanche,

je travaille.

Exercice 1

Quelle heure est-il?

Exemples: 8h10 = Il est huit heures dix.

10h15 = Il est dix heures et quart (dix heures un quart) (dix heures quinze).

12h30 = Il est midi et demi (midi trente).

16h40 = Il est cinq heures moins vingt (seize heures quarante).

22h45 = Il est onze heures moins le quart (onze heures moins un quart)
(vingt-deux heures quarante-cinq).

1.   11h25 = _____

2.   13h05 = _____

3.   8h15 = _____

4.   9h20 = _____

5.   23h30 = _____

6.   21h45 = _____

7.   5h15 = _____

8.   24h30 = _____

Exercice 2

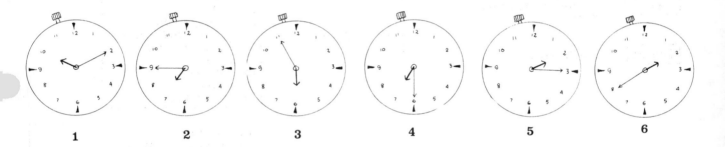

1   2   3   4   5   6

Exemples: **À quelle heure** est-ce que tu fais du piano?

Tu fais du piano **à quelle heure**?

— Je fais du piano à trois heures et quart (trois heures un quart).

1.   **À quelle heure** est-ce que vous faites le ménage?

_____

2.   **À quelle heure** est-ce qu'elle regarde la télévision?

_____

3.   Il allume le feu **à quelle heure**?

_____

4.   **À quelle heure** est-ce qu'on apporte le café?

_____

5.   Nous gardons les enfants **à quelle heure**?

_____

6.   **À quelle heure** est-ce que vous faites la vaisselle?

_____

Exercice 3

 *Exemple:* Le lundi

 1. Le mardi soir

 2. Le mercredi

 3. Le jeudi

 4. Le vendredi

 5. Le samedi matin

 6. Le dimanche après-midi

 7. Le dimanche soir

Exemple: Quand est-ce qu'elle fait du patin?
— Elle fait du patin le lundi.

1. _____ ?
   _____

2. _____ ?
   _____

3. _____ ?
   _____

4. _____ ?
   _____

5. _____ ?
   _____

6. _____ ?
   _____

7. _____ ?
   _____

Exercice 4 *

Exemple:

Exercice 5 *

Exemple: Qu'est-ce que vous faites **aujourd'hui**?

— Aujourd'hui, je joue au tennis.

1.   Qu'est-ce que tu fais **ce matin**?

_____

2.   Qu'est-ce qu'il fait **ce soir**?

_____

3.   Qu'est-ce qu'elles font **dimanche**?

_____

4.   Qu'est-ce qu'on fait **samedi soir**?

_____

5.   Qu'est-ce que nous faisons **lundi matin**?

_____

Exercice 6

La semaine:

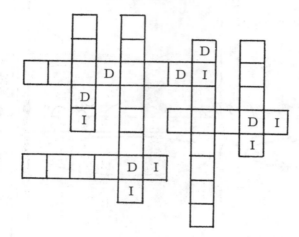

lundi

mardi

mercredi

jeudi

vendredi

samedi

dimanche

Exercice 7

Ma journée:

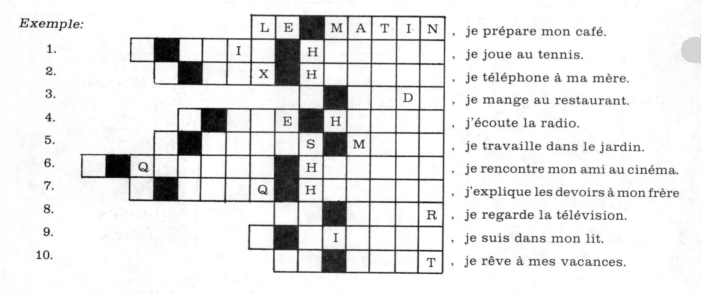

Exemple:
1.
2.
3.
4.
5.
6.
7.
8.
9.
10.

, je prépare mon café.

, je joue au tennis.

, je téléphone à ma mère.

, je mange au restaurant.

, j'écoute la radio.

, je travaille dans le jardin.

, je rencontre mon ami au cinéma.

, j'explique les devoirs à mon frère

, je regarde la télévision.

, je suis dans mon lit.

, je rêve à mes vacances.

Question-test

Quand est-ce que vous écoutez la radio?

_____

68

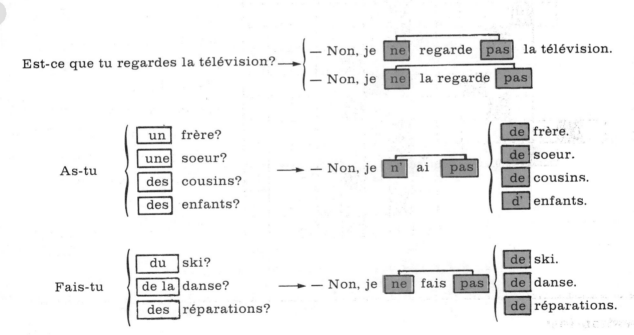

Est-ce que tu regardes la télévision? ⟶ {
— Non, je [ne] regarde [pas] la télévision.
— Non, je [ne] la regarde [pas]

As-tu {
[un] frère?
[une] soeur?
[des] cousins?
[des] enfants?
} ⟶ — Non, je [n'] ai [pas] {
[de] frère.
[de] soeur.
[de] cousins.
[d'] enfants.
}

Fais-tu {
[du] ski?
[de la] danse?
[des] réparations?
} ⟶ — Non, je [ne] fais [pas] {
[de] ski.
[de] danse.
[de] réparations.
}

Exercice 1

Exemple: Est-ce qu'elle a une secrétaire?

— Non, elle n' a pas de secrétaire.

1. Est-ce qu'ils ont un médecin?

   _____

2. As-tu une cousine?

   _____

3. Est-ce qu'elle a des frères?

   _____

4. As-tu un avocat?

   _____

5. Est-ce que j'ai une cuisinière?

   _____

6. As-tu des nièces?

   _____

7. Est-ce qu'elle a un mari?

   _____

8. Avez-vous des enfants?

   _____

9. Est-ce qu'on a un dentiste?

   _____

10. Est-ce qu'elles ont des parents?

    _____

Exercice 2

Exemple: Est-ce qu'il y a un chat sous le lit?

— Non, il n' y a pas de chat sous le lit.

1. Est-ce qu'il y a un téléphone dans la cuisine?

   _____

2. Est-ce qu'il y a une auto devant le garage?

   _____

3. Est-ce qu'il y a un jardin derrière le restaurant?

   _____

4. Est-ce qu'il y a des arbres entre les maisons?

   _____

5. Est-ce qu'il y a un nom sur la porte?

   _____

Exercice 3

Exemple: Qu'est-ce qu'elle fait? de la musique?
— Non, elle ne fait pas de musique.

1. Qu'est-ce que tu fais? du piano?

   _____

2. Qu'est-ce qu'ils font? du ski?

   _____

3. Qu'est-ce que je fais? du bateau?

   _____

4. Qu'est-ce que nous faisons? de la marche?

   _____

5. Qu'est-ce qu'ils font? des réparations?

   _____

Exercice 4

Exemple: Elle lave la vaisselle?
— Non, elle ne lave pas la vaisselle.

1. Nous étudions la leçon?

   _____

2. Il fume la pipe?

   _____

3. Tu regardes la télévision?

   _____

4. On prépare le souper?

   _____

5. Elle écoute sa mère?

   _____

6. Vous cherchez les cigarettes?

   _____

7. Tu aimes les fruits?

   _____

8. J'embrasse mon père?

   _____

9. Il garde les bébés?

   _____

10. Vous trouvez son parapluie?

    _____

Exercice 5

Exemple: Est-ce que tu manges le gâteau?

— Non, je ne le mange pas.

1. Est-ce qu'il écoute la radio?

   _____

2. Est-ce que vous réparez la bicyclette?

   _____

3. Est-ce qu'ils portent les valises?

   _____

4. Est-ce que j'aime la musique?

   _____

5. Est-ce que nous fermons les fenêtres?

   _____

Exercice 6 *

Exemple: Est-ce que vous travaillez dans une banque?

— Non, je ne travaille pas dans une banque.
Je travaille dans un restaurant.

1. Est-ce que tu fais du ski le dimanche?

   _____

   _____

2. Est-ce que vous regardez la télévision le soir?

   _____

   _____

3. Est-ce qu'elle étudie le français le matin?

   _____

   _____

4. Est-ce que tu ressembles à ta mère?

   _____

   _____

5. Est-ce qu'ils font du feu dans le jardin?

   _____

   _____

Qestion-test

As-tu un frère?

— Non, _____

72

- La possession:

   les adjectifs possessifs:

   "mon, ma, ton, ta, son, sa, notre, votre, leur,
   mes, tes, ses, nos, vos, leurs";

   les pronoms personnels toniques:

   "moi, toi, nous, vous, lui, elle, eux, elles";

   le complément de nom introduit par "de".

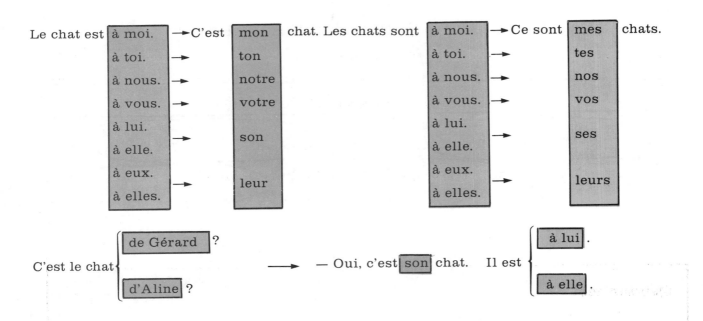

Le chat est à moi. → C'est mon chat. Les chats sont à moi. → Ce sont mes chats.

à toi. → ton

à nous. → notre

à vous. → votre

à lui.

à elle. → son

à eux. →

à elles. → leur

à toi. → tes

à nous. → nos

à vous. → vos

à lui.

à elle. → ses

à eux. →

à elles. → leurs

C'est le chat { de Gérard ? / d'Aline ? } → — Oui, c'est son chat. Il est { à lui. / à elle. }

73

Exemple:

1.

2.

3.

4.

5.

Exercice 3

Exemple: C'est la bicyclette de Bernard.

C'est [S|A] bicyclette. Elle est à [L|U|I] .

1. C'est la bicyclette de Martine.

C'est [|] bicyclette. Elle est à [| | |] .

2. C'est l'auto de Michel.

C'est [| |] auto. Elle est à [| |] .

3. C'est l'auto de Chantal.

C'est [| |] auto. Elle est à [| | |] .

4. C'est le bateau de Bernard et de Michel.

C'est [| | |] bateau. Il est à [| |] .

5. C'est la maison de Bernard et de Martine.

C'est [| | |] maison. Elle est à [| |] .

6. C'est le violon de Chantal et de Martine.

C'est [| | |] violon. Il est à [| | | |] .

7. Ce sont les skis de Bernard.

Ce sont [| |] skis. Ils sont à [| |] .

8. Ce sont les raquettes de Chantal.

Ce sont [| |] raquettes. Elles sont à [| | |] .

9. Ce sont les patins de Bernard et de Michel.

Ce sont [| | | |] patins. Ils sont à [| |] .

10. Ce sont les valises de Michel et de Chantal.

Ce sont [| | | |] valises. Elles sont à [| |] .

11. Ce sont les clés de Chantal et de Martine.

Ce sont [| | | |] clés. Elles sont à [| | | |] .

Exercice 4 *

Exemples: Est-ce que c'est **le chien** de Marie ?

— Oui, c'est son chien.

Est-ce que ce sont **les chiens** de Marie ?

— Oui, ce sont ses chiens.

1. Est-ce que c'est _____ de Paul?

   Oui, _____ [ ] _____ .

2. Est-ce que ce sont _____ de Paul et de Marie ?

   Oui, _____ [ ] _____ .

3. Est-ce que ce sont _____ de Marie ?

   Oui, _____ [ ] _____ .

4. Est-ce que ce sont _____ de Paul ?

   Oui, _____ [ ] _____ .

5. Est-ce que c'est _____ de Paul et de Marie ?

   Oui, _____ [ ] _____ .

Exercice 5 *

Exemple: C'est mon chat ?

— Non, ce n'est pas ton chat.

C'est le chat de Paul .

1. C'est ton _____ ?

   _____ [ ] _____

   _____ [ ]

2. C'est notre _____ ?

   _____ [ ] _____

   _____ [ ]

3. C'est leur _____ ?

   _____ [ ] _____

   _____ [ ]

4. Ce sont leurs _____ ?

   _____ [ ] _____

   _____ [ ]

5. Ce sont ses _____ ?

   _____ [ ] _____

   _____ [ ]

Question-test

Cette voiture est à eux?

— Oui, c'est [   ] voiture.

Objectif 17 • **Les pronoms personnels compléments d'objet indirect:**
"**me, m', te, t', lui, nous, vous, leur**",
au présent de l'indicatif.

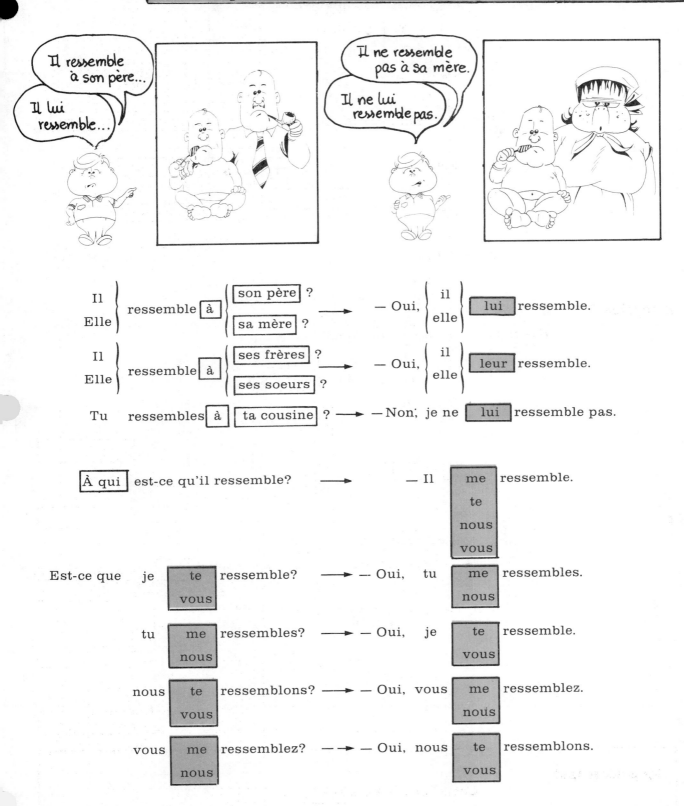

Il / Elle	ressemble	à	son père ? / sa mère ?	→ — Oui, il / elle	lui	ressemble.

Il / Elle ressemble à son père ? / sa mère ? → — Oui, il / elle lui ressemble.

Il / Elle ressemble à ses frères ? / ses soeurs ? → — Oui, il / elle leur ressemble.

Tu ressembles à ta cousine ? → — Non, je ne lui ressemble pas.

À qui est-ce qu'il ressemble? → — Il me / te / nous / vous ressemble.

Est-ce que je te / vous ressemble? → — Oui, tu me / nous ressembles.

tu me / nous ressembles? → — Oui, je te / vous ressemble.

nous te / vous ressemblons? → — Oui, vous me / nous ressemblez.

vous me / nous ressemblez? → — Oui, nous te / vous ressemblons.

Exercice 1

Exemples: Il présente son amie | à ses parents |

Il | leur | présente son amie.

Il présente son amie | à sa mère | .

Il | lui | présente son amie.

1. Il ressemble **à son oncle**.

_____

2. Je donne mes skis **à mon frère**.

_____

3. Tu signes un chèque **à ton avocat**.

_____

4. Il apporte de la bière **à ses amis**.

_____

5. Nous prêtons une montre **à notre fille**.

_____

6. Vous demandez de l'argent **à vos parents**.

_____

Exercice 2

Exemple: Est-ce que tu | me | signes un chèque?

— Non, je ne | te | signe pas de chèque.

1. Est-ce que ta fille **te** ressemble?

_____

2. Est-ce que vous **nous** faites du café?

_____

3. Est-ce qu'elle **vous** explique vos devoirs?

_____

4. Est-ce qu'il **t'**apporte une bière?

_____

5. Est-ce que tu **me** demandes l'heure?

_____

6. Est-ce que vous **nous** racontez une histoire?

_____

78

Exercice 3 *

Exemple: À qui téléphones-tu?
　　　　　　— Je téléphone à ma mère
　　　　　　Je lui téléphone.

1.　À qui racontez-vous une histoire?
　　_____
　　_____

2.　À qui est-ce qu'elle ressemble?
　　_____
　　_____

3.　À qui présentes-tu tes amis?
　　_____
　　_____

4.　À qui signez-vous le chèque?
　　_____
　　_____

5.　À qui est-ce qu'il demande de l'argent?
　　_____
　　_____

6.　À qui est-ce que je donne les clés?
　　_____
　　_____

7.　À qui est-ce qu'il chante une chanson?
　　_____
　　_____

8.　À qui prêtes-tu ton auto?
　　_____
　　_____

Question-test

Est-ce que tu ressembles à ta mère?
— Oui, je [＿＿＿＿] ressemble.

- Révision des objectifs 10 à 17.
- La phrase simple au présent de l'indicatif renfermant deux
  compléments: d'objet direct, indirect, de temps, de lieu.

À qui est-ce qu'il pense?

À quoi est-ce qu'elle rêve?

À quelle heure faites-vous le ménage?

Quand téléphones-tu à ton frère?

Où est-ce que tu danses le samedi?

Est-ce qu'il présente son amie à ses parents?

Elle donne	un cadeau / des fleurs	à sa mère. / au professeur.

Tu prépares	le souper / tes devoirs	dans le jardin. / à la cuisine.

Il lave	la vaisselle / son chien	à cinq heures. / le soir.

Je téléphone	à ma soeur / à Jean	dans ma chambre. / au bureau.

Il pense	à ses vacances / à son amie	le soir. / le dimanche.

Vous travaillez	dans un restaurant / à la banque	le matin. / le vendredi.

Le matin, / Le vendredi,	vous travaillez	dans un restaurant. / à la banque.

Exercice 1 *

Exemples: Je   ressemble   à mon   frère;   je lui ressemble.

Je   ressemble   à mes   tantes;   je leur ressemble.

1. Tu _____ cousins; _____
2. Elle _____ enfants; _____
3. Nous _____ père; _____
4. Nous _____ cousines; _____
5. Vous _____ oncle; _____
6. Vous _____ soeurs; _____
7. Ils _____ mère; _____
8. Elles _____ parents; _____

Exercice 2 *

préparer couper ajouter apporter manger	du de l' de la des	eau fruits salade bois pain

Exemples: Mange des fruits!

Mangeons des fruits!

Mangez des fruits!

1. _____
2. _____
3. _____
4. _____

Exercice 3 *

Exemple: À qui est-ce qu'il donne ses skis? à Paul ?

— Oui, il lui donne ses skis.

1. À qui est-ce qu'elle raconte une histoire? **aux enfants**?

_____

2. À qui est-ce que nous chantons notre chanson? **à vous**?

_____

3. À qui est-ce que je prête ma montre? **à toi**?

_____

4. À qui est-ce que tu fais du café? **à moi**?

_____

5. À qui est-ce que vous téléphonez? **à vos parents**?

_____

Exercice 4 *

Exemple: À **quelle heure** est-ce qu'il écoute ~~la radio~~ ?

       — Il ~~l'~~ écoute à **huit heures**.

1. À **quelle heure** est-ce qu'elle garde **les enfants**?

    _____

2. À **quelle heure** fais-tu **la vaisselle**?

    _____

3. À **quelle heure** étudiez-vous **le français**?

    _____

4. À **quelle heure** est-ce qu'il prépare **son travail**?

    _____

5. À **quelle heure** faites-vous **le ménage**?

    _____

Exercice 5 *

Exemple: **Quand** téléphones-tu à ton frère?

         { — Je téléphone à mon frère **le matin**.

         { — **Le matin**, je téléphone à mon frère.

1. **Quand** pensez-vous à votre mère?

    _____

2. **Quand** est-ce qu'elle rêve à ses vacances?

    _____

3. **Quand** est-ce que vous parlez à la secrétaire?

    _____

Exercice 6 *

Exemple: **Où est-ce qu'**ils dansent le samedi?

       — Le samedi, ils dansent **dans leur salon**.

1. **Où est-ce que** vous travaillez le soir?

    _____

2. **Où est-ce qu'**elles jouent à midi?

    _____

3. **Où est-ce que** tu chantes le dimanche?

    _____

4. **Où est-ce que** nous étudions le matin?

    _____

Exercice 7 *

Exemples: (donner)   Je donne | un cadeau | | à ma mère | .

(regarder)   Il regarde | la télévision | | dans sa chambre | .

(téléphoner)   Elle téléphone | à sa soeur | | le soir | .

(travailler)   Tu travailles | dans un restaurant | | le samedi | .

1. (jouer) _____
2. (prêter) _____
3. (expliquer) _____
4. (raconter) _____
5. (fumer) _____
6. (laver) _____
7. (étudier) _____
8. (faire) _____

Exercice 8 *

Exemple: (bicyclette - à - il - fils - prête - sa - son)

       Il prête sa bicyclette à son fils.

1. (des - aux - cadeaux - donnez - enfants - vous)

    _____

2. (cousine - Michel - à - elle - sa - présente)

    _____

3. (son - argent - donne - dentiste - l' - à - Paul - de)

    _____

4. (leur - chanson - notre - chantons - nous)

    _____

5. (jardin - le - elle - son - cherche - chat - dans)

    _____

6. (y - des - la - cuisine - fruits - dans - il - a)

    _____

7. (vaisselle - huit - à - nous - la - heures - faisons)

    _____

8. (soir - Guy - femme - le - téléphone - sa - à)

    _____

9. (samedi - bruit - font - du - le - ils)

    _____

10. (jouent - maison - derrière - la - elles - dimanche - le)

    _____

Question-test

Il prépare | | | |

● Les verbes du 3ième groupe
au présent de l'indicatif et de l'impératif.

Présent

COURIR		
je	cour	s
tu	cour	s
il/elle	cour	t
nous	cour	ons
vous	cour	ez
ils/elles	cour	ent

ATTENDRE		
j'	attend	s
tu	attend	s
il/elle	attend	
nous	attend	ons
vous	attend	ez
ils/elles	attend	ent

OUVRIR		
j'	ouvre	
tu	ouvre	s
il/elle	ouvre	
nous	ouvr	ons
vous	ouvr	ez
ils/elles	ouvr	ent

LIRE		
je	li	s
tu	li	s
il/elle	li	t
nous	lis	ons
vous	lis	ez
ils/elles	lis	ent

ÉCRIRE		
j'	écri	s
tu	écri	s
il/elle	écri	t
nous	écriv	ons
vous	écriv	ez
ils/elles	écriv	ent

METTRE		
je	met	s
tu	met	s
il/elle	met	
nous	mett	ons
vous	mett	ez
ils/elles	mett	ent

BOIRE		
je	boi	s
tu	boi	s
il/elle	boi	t
nous	buv	ons
vous	buv	ez
ils/elles	boiv	ent

COMPRENDRE		
je	comprend	s
tu	comprend	s
il/elle	comprend	
nous	compren	ons
vous	compren	ez
ils/elles	comprenn	ent

PRENDRE / APPRENDRE		
j'	(ap)prend	s
tu	(ap)prend	s
il/elle	(ap)prend	
nous	(ap)pren	ons
vous	(ap)pren	ez
ils/elles	(ap)prenn	ent

Impératif

cours	attends	ouvre	lis	écris	mets	bois	comprends	apprends
courons	attendons	ouvrons	lisons	écrivons	mettons	buvons	comprenons	apprenons
courez	attendez	ouvrez	lisez	écrivez	mettez	buvez	comprenez	apprenez

Exercice 1

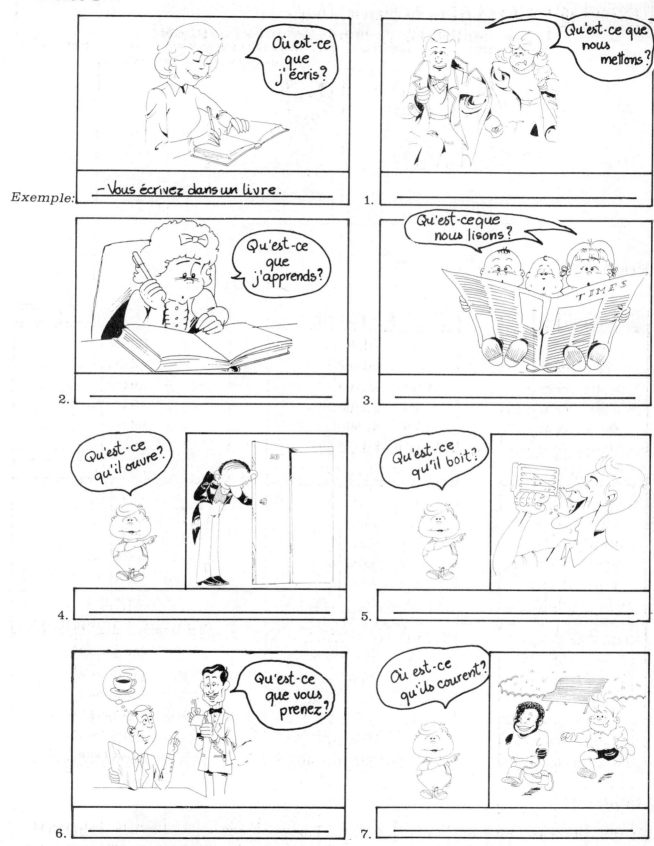

Exemple: – Vous écrivez dans un livre.

Exercice 2

Exemple: Nous ⟦B⟧⟦U⟦⟧V⟧⟦O⟧⟦N⟧⟦S⟧ de la bière.

1. Nous ⟦ ⟧⟦ ⟧⟦ ⟧⟦ ⟧⟦ ⟧ un livre.

2. Je ⟦ ⟧⟦ ⟧⟦ ⟧⟦ ⟧ ma robe.

3. Tu ⟦ ⟧⟦ ⟧⟦ ⟧⟦ ⟧⟦ ⟧ une lettre.

4. Il ⟦ ⟧⟦ ⟧⟦ ⟧⟦ ⟧⟦ ⟧ la porte.

5. Elles ⟦ ⟧⟦ ⟧⟦ ⟧⟦ ⟧⟦ ⟧⟦ ⟧⟦ ⟧⟦ ⟧⟦ ⟧ leurs amies.

6. Vous ⟦ ⟧⟦ ⟧⟦ ⟧⟦ ⟧⟦ ⟧⟦ ⟧⟦ ⟧⟦ ⟧ le français.

7. Elle ⟦ ⟧⟦ ⟧⟦ ⟧⟦ ⟧⟦ ⟧ l'autobus.

8. Ils ⟦ ⟧⟦ ⟧⟦ ⟧⟦ ⟧⟦ ⟧⟦ ⟧⟦ ⟧ du café.

Exercice 3

Exemple: Est-ce que tu attends ⟦ ta mère ⟧ ?
— Non, je ne ⟦ l' ⟧ attends pas.

1. Est-ce que vous apprenez **l'italien**?

   _____

2. Est-ce qu'elle boit **son lait**?

   _____

3. Est-ce qu'ils lisent **le journal**?

   _____

4. Est-ce que tu comprends **la leçon**?

   _____

5. Est-ce que tu écris **ta lettre**?

   _____

6. Est-ce que vous ouvrez **votre cadeau**?

   _____

7. Est-ce qu'ils mettent **leurs souliers**?

   _____

8. Est-ce que vous comprenez **le français**?

   _____

Exercice 4

Exemple: **Écris** ton nom!

                Écrivons notre nom!

                Écrivez votre nom!

1.   **Bois** ton lait!

      _____

      _____

2.   **Apprenez** vos leçons!

      _____

      _____

3.   **Mettons** nos souliers!

      _____

      _____

4.   **Ouvrez** votre parapluie!

      _____

      _____

Exercice 5 *

Exemples:			
J'écris	mes lettres	le dimanche.
J'attends	l'autobus	devant la maison.
1.	Nous lisons		
2.	Vous buvez		
3.	Ils ouvrent		
4.	Elles apprennent		
5.	Tu écris		
6.	Il met		
7.	Je comprends		
8.	Vous courez		

Question-test

      Est-ce que vous comprenez l'italien?

      _____

Il est	Elle est
bo<u>n</u>	bonn(e)
gro<u>s</u>	gross(e)
genti<u>l</u>	gentill(e)
lon<u>g</u>	longu(e)
blan<u>c</u>	blanch(e)
ne<u>uf</u>	neuv(e)
vie<u>ux</u>	vieill(e)
b<u>eau</u>	bell(e)

Il est	Elle est
noir	noir(e)
bleu	bleu(e)
petit	petit(e)
court	court(e)
méchant	méchant (e)
vert	vert(e)
grand	grand(e)
laid	laid(e)
chaud	chaud(e)
froid	froid(e)
mauvais	mauvais (e)

Il est	Elle est
mince	
orange	
rouge	
rose	
jaune	
jeune	

Exercice 1

Exemple: Mon cousin est **méchant**.

              Ma cousine est **méchante**.

1.   Son mari est **beau**.

              _____

2.   Ta fille est **laide**.

              _____

3.   Votre ami est **gentil**.

              _____

4.   Sa femme est **mince**.

              _____

5.   Ton neveu est **petit**.

              _____

6.   Votre soeur est **grande**.

              _____

7.   Son père est **gros**.

              _____

Exercice 2 *

Exemple:	Ton	chapeau	est neuf.
1.			est vieux.
2.			est froid.
3.			est mauvaise.
4.			est long.
5.			est chaud.
6.			est bonne.
7.			est court.
8.			est neuve.
9.			est longue.
10.			est vieille.
11.			est froide.
12.			est mauvais.
13.			est bon.
14.			est chaude.
15.			est courte.

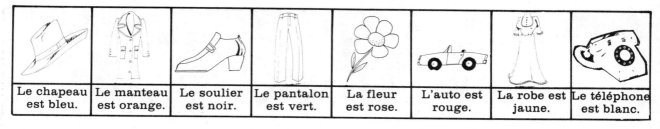

| Le chapeau est bleu. | Le manteau est orange. | Le soulier est noir. | Le pantalon est vert. | La fleur est rose. | L'auto est rouge. | La robe est jaune. | Le téléphone est blanc. |

Exercice 3 *

Exemple: | Les | | chaises | sont orange

1. ☐ ☐ est bleue.
2. ☐ ☐ est blanche.
3. ☐ ☐ sont roses.
4. ☐ ☐ est noire.
5. ☐ ☐ sont rouges.
6. ☐ ☐ est jaune.
7. ☐ ☐ est verte.

Exercice 4 *

Exemple: Est-ce qu'il a un **gentil petit** frère?

— Non, il a un méchant grand frère.

1. Est-ce qu'ils ont une **grande** maison **blanche**?

   _____

2. Est-ce qu'elle a une **longue** robe **noire**?

   _____

3. Est-ce que vous avez une **petite** valise **verte**?

   _____

4. Est-ce que tu as un **petit** chat **noir**?

   _____

Question-test

J'ai une _____ .
(gentil) (petit) (cousin)

- Le verbe "aller"
  suivi d'un complément de lieu introduit par
  "à, au, dans, en".
- L'adverbe de lieu "y".

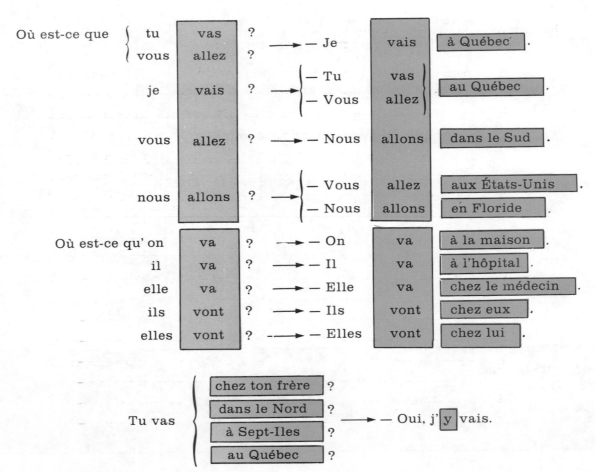

Où est-ce que	tu	vas	?	→ — Je	vais	à Québec.
	vous	allez	?			
	je	vais	?	→ — Tu / — Vous	vas / allez	au Québec.
	vous	allez	?	→ — Nous	allons	dans le Sud.
	nous	allons	?	→ — Vous / — Nous	allez / allons	aux États-Unis. / en Floride.
Où est-ce qu' on		va	?	→ — On	va	à la maison.
	il	va	?	→ — Il	va	à l'hôpital.
	elle	va	?	→ — Elle	va	chez le médecin.
	ils	vont	?	→ — Ils	vont	chez eux.
	elles	vont	?	→ — Elles	vont	chez lui.

Tu vas
- chez ton frère ?
- dans le Nord ?
- à Sept-Iles ?
- au Québec ?

→ — Oui, j'y vais.

92

Exercice 1 *

le Québec		**au**	Québec.
le Manitoba		**au**	Manitoba.
Le Canada →	Je vais	**au**	Canada.
Le Mexique		**au**	Mexique.
Le Japon		**au**	Japon.
Le Portugal		**au**	Portugal.

la Floride		**en**	Floride.
La France		**en**	France.
L'Alberta →	Je vais	**en**	Alberta.
L'Italie		**en**	Italie.
L'Espagne		**en**	Espagne.
L'Angleterre		**en**	Angleterre.

Québec		**à**	Québec.
Montréal		**à**	Montréal.
Vancouver →	Je vais	**à**	Vancouver.
New York		**à**	New York.
Boston		**à**	Boston.
Régina		**à**	Régina.

Le Nord		**dans**	le Nord.
Le Sud		**dans**	le Sud.
L'Est →	Je vais	**dans**	l'Est.
L'Ouest		**dans**	l'Ouest.
Les Laurentides		**dans**	les Laurentides.
Les provinces Maritines		**dans**	les provinces Maritimes.

Les États-Unis		**aux**	États-Unis.
Les Antilles →	Je vais	**aux**	Antilles.
Les Pays-Bas		**aux**	Pays-Bas.

Exemple: Où est-ce que tu vas?

        — Je vais ⌐au¬ Japon.

1. _____ nous _____ ?
   _____

2. _____ je _____ ?
   _____

3. _____ il _____ ?
   _____

4. _____ vous _____ ?
   _____

5. _____ on _____ ?
   _____

6. _____ elles _____ ?
   _____

7. _____ tu _____ ?
   _____

8. _____ elle _____ ?
   _____

9. _____ ils _____ ?
   _____

					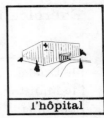
le parc	l'épicerie	l'église	la discothèque	le marché	l'hôpital

Exercice 2

Exemples:	Je	vais	à la	maison.
	Je	vais	à l'	épicerie.
	Je	vais	au	jardin.
1.	Nous			marché.
2.	Vous			hôpital.
3.	Elle			discothèque.
4.	Ils			église.
5.	On			parc.
6.	Tu			cinéma.
7.	Elles			restaurant.
8.	Il			garage.

Exercice 3

Exemple: Est-ce que tu vas **chez toi**?

       — Oui, je vais **chez moi**.

1.   Est-ce qu'il va **chez lui**?

         _____

2.   Est-ce que nous allons **chez nous**?

         _____

3.   Est-ce qu'elle va **chez moi**?

         _____

4.   Est-ce qu'ils vont **chez eux**?

         _____

5.   Est-ce que je vais **chez elle**?

         _____

6.   Est-ce que vous allez **chez vous**?

         _____

7.   Est-ce qu'elles vont **chez elles**?

         _____

Exercice 4

Exemple: Tu vas ⌈ **chez le dentiste** ⌉ à midi?

— Oui, j'⌈ **y** ⌉ vais à midi.

1. Elle va **chez le coiffeur** ce soir?

   _____

2. Nous allons **chez Paul** dimanche?

   _____

3. Vous allez **chez votre photographe** ce matin?

   _____

4. Ils vont **chez l'avocat** le lundi?

   _____

5. Je vais **chez le médecin** à huit heures?

   _____

6. Tu vas **chez ton comptable** jeudi?

   _____

Exercice 5 *

Exemples:

Va	chez	le dentiste!
Allons	au	marché!
Allez	à l'	église!

1. ☐ ☐ eux!
2. ☐ ☐ Vancouver!
3. ☐ ☐ Nord!
4. ☐ ☐ Mexique!
5. ☐ ☐ Espagne!
6. ☐ ☐ États-Unis!
7. ☐ ☐ discothèque!
8. ☐ ☐ hôpital!

Question-test

Est-ce que vous allez à Montréal?

— Non, nous ☐ ☐ Québec.

- **Les questions débutant par "Comment".**
- **Les compléments de manière introduits par "à, en, avec".**

— Elle va chez elle à bicyclette.

— Ils lavent leur chien avec une brosse.

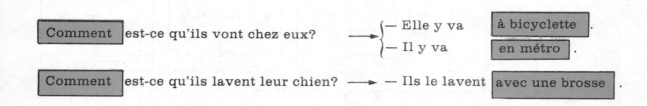

| Comment | est-ce qu'ils vont chez eux? | → | — Elle y va | à bicyclette | . |
| | | | — Il y va | en métro | . |

| Comment | est-ce qu'ils lavent leur chien? | → | — Ils le lavent | avec une brosse | . |

en	à	avec
autobus	cheval	une brosse
avion	bicyclette	un marteau
train	la nage	une paille
taxi	pied	des lunettes
métro		une hache
canot		un couteau
motoneige		une raquette
voiture		une fourchette
bateau		un balai
auto		un pinceau
camion		
ambulance		

Exercice 1 *

l'autobus

l'avion

le train

le bateau

le métro

le cheval

la motoneige

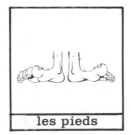
les pieds

le camion

l'ambulance

Exemple: **Comment** est-ce qu'elle traverse le lac?

    — Elle traverse le lac **en bateau**.

    — Elle traverse le lac **à la nage**.

1.   **Comment** est-ce que vous allez au cinéma?

   _____

2.   **Comment** est-ce que tu vas à l'hôpital?

   _____

3.   **Comment** est-ce qu'on va en Floride?

   _____

4.   **Comment** est-ce que nous allons à Détroit?

   _____

5.   **Comment** est-ce que je vais à mon bureau?

   _____

6.   **Comment** est-ce qu'ils vont chez eux?

   _____

7.   **Comment** est-ce qu'elles vont à leur chalet?

   _____

Exercice 2

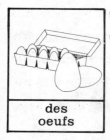 une brosse	 un marteau	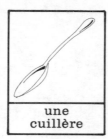 une cuillère	 une paille	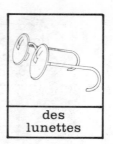 des lunettes	 une hache
 des oeufs	 un pinceau	 un balai	 une fourchette	 une raquette	 un couteau

Exemple: **Comment** est-ce que tu laves ton chien?

— Je lave mon chien **avec une brosse**.

1. **Comment** est-ce qu'elle fait de la peinture?

   _____

2. **Comment** est-ce que vous coupez le bois?

   _____

3. **Comment** est-ce que nous faisons le ménage?

   _____

4. **Comment** est-ce qu'il fait les gâteaux?

   _____

5. **Comment** est-ce que je mange ma viande?

   _____

6. **Comment** est-ce que tu bois ton lait?

   _____

7. **Comment** est-ce qu'elles jouent au tennis?

   _____

8. **Comment** est-ce qu'il coupe le poulet?

   _____

9. **Comment** est-ce qu'elle lit son journal?

   _____

10. **Comment** est-ce que tu répares la chaise?

    _____

11. **Comment** est-ce que je mange ma soupe?

    _____

Exercice 3

Exemple: Je coupe le bois avec une hache.

1. Nous _____ avec une brosse.
2. Vous _____ avec des oeufs.
3. Elles _____ avec une cuillère.
4. Tu _____ avec un couteau.
5. Elle _____ avec un marteau.
6. Je _____ avec un pinceau.
7. Ils _____ avec des lunettes.
8. Il _____ avec une raquette.
9. Nous _____ avec une paille.
10. Vous _____ avec une fourchette.
11. Nous _____ avec un balai.

Question-test

Comment est-ce que tu vas chez toi?

_____

Présent

ENLEVER		
j'	enlèv	e
tu	enlèv	es
il/elle	enlèv	e
nous	enlev	ons
vous	enlev	ez
ils/elles	enlèv	ent

PROMENER		
je	promèn	e
tu	promèn	es
il/elle	promèn	e
nous	promen	ons
vous	promen	ez
ils/elles	promèn	ent

AMENER		
j'	amèn	e
tu	amèn	es
il/elle	amèn	e
nous	amen	ons
vous	amen	ez
ils/elles	amèn	ent

ACHETER		
j'	achèt	e
tu	achèt	es
il/elle	achèt	e
nous	achet	ons
vous	achet	ez
ils/elles	achèt	ent

RÉPÉTER		
je	répèt	e
tu	répèt	es
il/elle	répèt	e
nous	répét	ons
vous	répét	ez
ils/elles	répèt	ent

ESPÉRER		
j'	espèr	e
tu	espèr	es
il/elle	espèr	e
nous	espér	ons
vous	espér	ez
ils/elles	espèr	ent

JETER		
je	jett	e
tu	jett	es
il/elle	jett	e
nous	jet	ons
vous	jet	ez
ils/elles	jett	ent

APPELER		
j'	appell	e
tu	appell	es
il/elle	appell	e
nous	appel	ons
vous	appel	ez
ils/elles	appell	ent

Impératif

enlève	promène	amène	achète	répète	espère	jette	appelle
enlevons	promenons	amenons	achetons	répétons	espérons	jetons	appelons
enlevez	promenez	amenez	achetez	répétez	espérez	jetez	appelez

Exercice 1

Exemple: Qu'est-ce que tu jettes? — Je jette les papiers.

1. _____ ? — J'enlève la neige.

2. _____ ? — Nous achetons des raquettes.

3. _____ ? — J'espère une lettre.

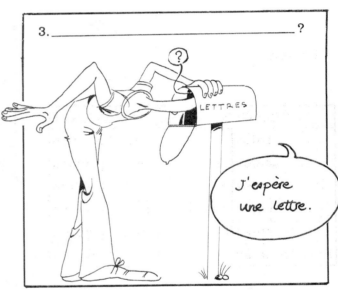

4. Où est-ce que vous amenez les enfants?

5. Où est-ce que tu promènes ton chien?

101

Exercice 2

Exemple: (acheter) Est-ce que vous [achetez] votre lait à l'épicerie?

— Non, je ne l'achète pas à l'épicerie.

1. (enlever) Est-ce que tu ⬚ la neige derrière la maison?

_____

2. (amener) Est-ce qu'elle ⬚ sa fille au restaurant?

_____

3. (appeler) Est-ce que j' ⬚ ton père au téléphone?

_____

4. (jeter) Est-ce que nous ⬚ nos livres à la poubelle?

_____

5. (promener) Est-ce qu'ils ⬚ leur fils en bateau?

_____

6. (répéter) Est-ce qu'on ⬚ notre chanson à nos amis?

_____

7. (amener) Est-ce que vous ⬚ vos amis chez vous?

_____

8. (enlever) Est-ce que tu ⬚ tes skis devant la porte?

_____

Exercice 3

Exemple: Appelle ton père!
  Appelez votre père!
  Appelons notre père!

1. Jette tes papiers!

_____
_____

2. Achète de la bière!

_____
_____

3. Enlève tes souliers!

_____
_____

4. Promène le chien!

_____
_____

5. Amène ta soeur!

_____
_____

Exercice 4

Exemple: Nous [enlevons] notre manteau.

1. Il [_____] le chien au parc.
2. Vous [_____] des fruits au marché.
3. Tu [_____] la neige avec une pelle.
4. Ils [_____] une lettre de leur père.
5. Nous [_____] le bébé dans le jardin.
6. Je [_____] les papiers à la poubelle.
7. Elle [_____] l'histoire aux enfants.
8. Vous [_____] votre soeur au téléphone.

Exercice 5 *

Exemples: **Où est-ce qu'**elle achète son café?

— Elle l'achète **à l'épicerie**.

Quand est-ce qu'elle achète son café?

— Elle l'achète **le samedi**.

1. **Où est-ce que** tu amènes ta soeur?

   _____

2. **Quand est-ce que** vous promenez votre chien?

   _____

3. **Où est-ce que** je jette les papiers?

   _____

4. **Quand est-ce que** nous appelons Guy?

   _____

5. **Où est-ce que** vous enlevez la neige?

   _____

6. **Quand est-ce que** tu espères une lettre?

   _____

7. **Où est-ce que** vous promenez le bébé?

   _____

8. **Quand est-ce que** vous achetez votre bière?

   _____

Question-test

Est-ce que vous appelez les enfants?

— Oui, je _____

Au printemps, je | vais | aller à la pêche.

En été   , je | vais | faire du canot.

En automne , je | vais | jouer au tennis.

En hiver   , je | vais | rêver à mes vacances.

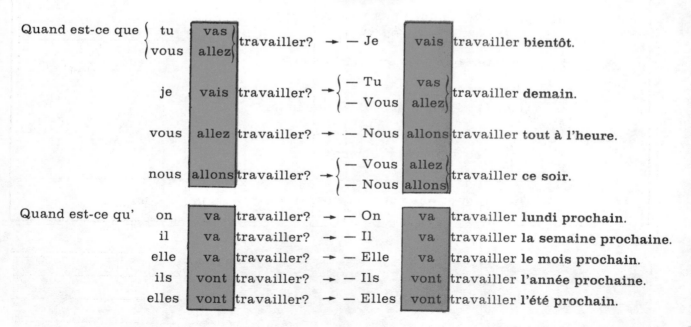

Quand est-ce que { tu / vous } { vas / allez } travailler? → — Je vais travailler **bientôt**.

je | vais | travailler? → { — Tu vas / — Vous allez } travailler **demain**.

vous | allez | travailler? → — Nous allons travailler **tout à l'heure**.

nous | allons | travailler? → { — Vous allez / — Nous allons } travailler **ce soir**.

Quand est-ce qu' on | va | travailler? → — On va travailler **lundi prochain**.

il | va | travailler? → — Il va travailler **la semaine prochaine**.

elle | va | travailler? → — Elle va travailler **le mois prochain**.

ils | vont | travailler? → — Ils vont travailler **l'année prochaine**.

elles | vont | travailler? → — Elles vont travailler **l'été prochain**.

Exercice 1

Le printemps

L'été

Exemple:

Au printemps, il va aller à la pêche.

Elle va arroser les fleurs.

Elle va faire le jardinage.

1. _____
   _____
   _____
   _____
   _____

L'automne

L'hiver

2. _____
   _____
   _____
   _____

3. _____
   _____
   _____
   _____

Exercice 2

Exemple: Quand est-ce que tu [vas] aller chez le dentiste?

— Je vais aller chez le dentiste tout à l'heure.

1. Quand est-ce que nous [   ] réparer la voiture?

   _____ bientôt.

2. Quand est-ce qu'elle [   ] être médecin?

   _____ l'année prochaine.

3. Quand est-ce qu'ils [   ] étudier leurs leçons?

   _____ ce soir.

4. Quand est-ce qu'elle [   ] avoir un enfant?

   _____ en automne.

5. Quand est-ce que tu [   ] apprendre le français?

   _____ l'automne prochain.

6. Quand est-ce qu'il [   ] voir sa grand-mère?

   _____ mardi prochain.

7. Quand est-ce que je [   ] être mince?

   _____ l'été prochain.

8. Quand est-ce que vous [   ] acheter une motoneige?

   _____ l'hiver prochain.

9. Quand est-ce qu'elle [   ] nous présenter son ami?

   _____ dimanche.

10. Quand est-ce que nous [   ] faire le ménage?

    _____ demain.

11. Quand est-ce que tu [   ] écrire un livre?

    _____ le printemps prochain.

12. Quand est-ce qu'ils [   ] être riches?

    _____ bientôt.

**Exercice 3 *

Exemples:	Demain, nous	allons	téléphoner.	·
	Demain, nous	allons	faire du ski	·
1.	Bientôt, je			·
2.	Mardi, tu			·
3.	En été, nous			·
4.	Ce soir, vous			·
5.	À midi, elle			·
6.	L'hiver prochain, ils			·
7.	Tout à l'heure, elles			·
8.	L'été prochain, tu			·
9.	Ce matin, je			·
10.	Dimanche prochain, il			·
11.	En hiver, vous			·
12.	La semaine prochaine, nous			·

**Exercice 4 *

Exemple: Elle ne va pas manger au restaurant?

— Non, elle va manger à la maison.

1.   Tu ne vas pas travailler dans le jardin?

— Non, _____

2.   Il ne va pas aller à New-York demain?

— Non, _____

3.   Vous n'allez pas enlever la neige ce soir?

— Non, _____ _____

4.   Nous n'allons pas traverser le lac tout à l'heure?

— Non, _____

5.   Elles ne vont pas attendre leur mère devant la maison?

— Non, _____

6.   On ne va pas ouvrir nos cadeaux aujourd'hui?

— Non, _____

7.   Ils ne vont pas mettre leurs patins au garage?

— Non, _____

Question-test

Qu'est-ce que tu vas faire demain?

_____

• **Les verbes "partir, sortir, venir, revenir"**
  suivis d'un complément de lieu
     introduit par "à, au, dans, du, de, chez";
  suivis d'"avec".

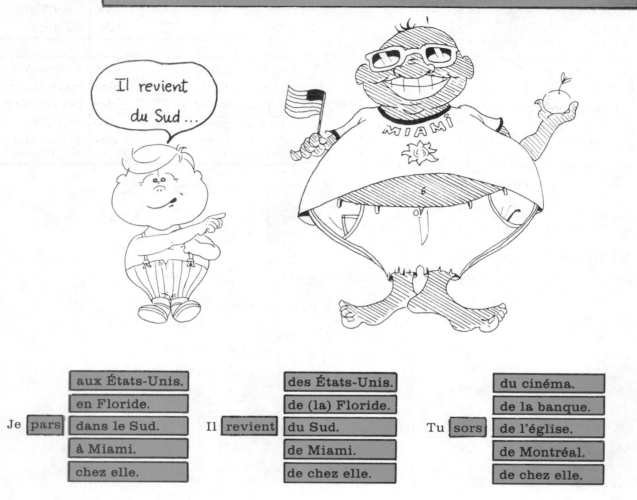

Je	pars	aux États-Unis.		Il	revient	des États-Unis.		Tu	sors	du cinéma.
		en Floride.				de (la) Floride.				de la banque.
		dans le Sud.				du Sud.				de l'église.
		à Miami.				de Miami.				de Montréal.
		chez elle.				de chez elle.				de chez elle.

SORTIR		
je	sor	s
tu	sor	s
il/elle	sor	t
nous	sort	ons
vous	sort	ez
ils/elles	sort	ent

PARTIR		
je	par	s
tu	par	s
il/elle	par	t
nous	part	ons
vous	part	ez
ils/elles	part	ent

VENIR - REVENIR		
je	vien	s
tu	vien	s
il/elle	vien	t
nous	ven	ons
vous	ven	ez
ils/elles	vienn	ent

Viens	avec moi	!
Pars	avec elle	!
Sors	avec ta soeur	!

Le Québec	**du**	Québec.
Le Manitoba	**du**	Manitoba.
Le Canada → Je reviens	**du**	Canada.
Le Mexique	**du**	Mexique.
Le Nord	**du**	Nord.
Le Sud	**du**	Sud.

La France	**de**	France.
La Floride	**de**	Floride.
Montréal → Je reviens	**de**	Montréal.
Québec	**de**	Québec.
New York	**de**	New York.
Boston	**de**	Boston.

L'Alberta	**d'**	Alberta.
L'Italie	**d'**	Italie.
L'Espagne → Je reviens	**d'**	Espagne.
L'Angleterre	**d'**	Angleterre.
Halifax	**d'**	Halifax.

Les États-Unis	**des**	États-Unis.
Les Pays-Bas	**des**	Pays-Bas.
Les Laurentides → Je reviens	**des**	Laurentides.
Les Antilles	**des**	Antilles.
Les provinces Maritimes	**des**	provinces Maritimes.

L'Est → Je reviens	**de**	l'Est.
L'Ouest	**de**	l'Ouest.

Exercice 1

Exemple: Il [revient] [de] Miami.

1. Nous [　　　] [　　　] Espagne.
2. Vous [　　　] [　　　] Ouest.
3. Tu [　　　] [　　　] Boston.
4. Ils [　　　] [　　　] Manitoba.
5. Elle [　　　] [　　　] provinces Maritimes.
6. Je [　　　] [　　　] Nord.

Exercice 2

PARTIR

SORTIR

Exemple: (partir) Tu [pars] [à] New York?
— Oui, je pars à New York.

1. (sortir) Nous [　　　] [　　　] église?

2. (partir) Nous [　　　] [　　　] Italie?

3. (sortir) Tu [　　　] [　　　] restaurant?

4. (partir) Tu [　　　] [　　　] États-Unis?

5. (sortir) Vous [　　　] [　　　] chez vous?

6. (partir) Vous [　　　] [　　　] Nord?

109

Exercice 3

Viens avec moi!

VENIR

Exemple: Viens avec lui!

Venez avec lui!

Venons avec lui!

1. Partez avec elle!

_____

2. Sortez avec elles!

_____

3. Allons avec eux!

_____

Exercice 4 *

Exemple: Demain, je	vais	partir	à Vancouver	.
1. Ce soir, nous		revenir		.
2. Lundi, vous		sortir		.
3. En hiver, il		venir		.
4. L'été prochain, on		aller		.
5. À huit heures, elles		partir		.
6. Au printemps, je		revenir		.
7. Jeudi prochain, tu		sortir		.
8. Bientôt, elle		venir		.

Exercice 5 *

Exemple: Quand est-ce que tu [sors] **de** l'hôpital?

— Je sors de l'hôpital ce soir.

1. Quand est-ce que vous [_____] **au** Mexique?

_____

2. Quand est-ce qu'elle [_____] **du** Japon?

_____

3. Quand est-ce qu'ils [_____] **à** Ottawa?

_____

4. Quand est-ce que vous [_____] **de** chez vous?

_____

5. Quand est-ce qu'elle [_____] **avec** lui?

_____

110

Exercice 6 *

Exemple: Est-ce que tu reviens **de Vancouver**?

                — Non, je reviens **des États-Unis**.

1.   Est-ce qu'elle part **en France**?

_____

2.   Est-ce qu'ils reviennent **du Sud**?

_____

3.   Est-ce que tu pars **chez toi**?

_____

4.   Est-ce que vous sortez **du magasin**?

_____

5.   Est-ce qu'elles partent à **Calgary**?

_____

6.   Est-ce que tu reviens **du Canada**?

_____

7.   Est-ce qu'il sort **de chez elle**?

_____

Question-test

Est-ce que vous partez [   ] Italie?

— Non, je [   ] [   ] Japon.

J'ai mal aux dents!

J'	ai froid.
Tu	as mal.
Il	a chaud.
Elle	a faim.
Nous	avons sommeil.
Vous	avez soif.
Ils	ont peur.

Exercice 1

Exemple: avoir peur

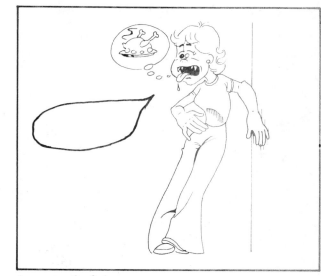

1.   avoir faim

2.   avoir soif

3.   avoir sommeil

4.   avoir chaud

5.   avoir froid

Exercice 2

Exemple: Est-ce que tu as faim?

          — Non, je n'ai pas faim.

1.   Est-ce que vous avez chaud?

    _____

2.   Est-ce qu'ils ont mal?

    _____

3.   Est-ce qu'elle a soif?

    _____

4.   Est-ce que j'ai sommeil?

    _____

5.   Est-ce qu'on a peur?

    _____

6.   Est-ce qu'elles ont froid?

    _____

Exercice 3

Exemple: Il voit un gros chien méchant   : il | a peur | .

1.   Je vais acheter du pain :   j' |_____| .
2.   Apportez une bière à ma soeur :   elle |_____| .
3.   Nous allons à l'hôpital :   nous |_____| .
4.   Il est minuit :   tu |_____| .
5.   Vous faites du feu :   vous |_____| .
6.   Ils courent dans le parc :   ils |_____| .

Exercice 4   *

Exemple: Nous allons | enlever notre manteau | : nous | avons | chaud.

1. Il va | _____ | : il | _____ | soif.
2. Je vais | _____ | : j' | _____ | mal.
3. Vous allez | _____ | : vous | _____ | peur.
4. Tu vas | _____ | : tu | _____ | sommeil.
5. Elle va | _____ | : elle | _____ | faim.
6. Ils vont | _____ | : ils | _____ | froid.

Exercice 5 *

Exemple: **Où est-ce qu'il a mal?**

— **Il a mal au pied.**

la tête	les yeux l'oeil	l'oreille	le coeur	le dos	la gorge	la main	la jambe

1.   **Où est-ce que** tu as mal?

_____

2.   **Où est-ce qu'**elle a mal?

_____

3.   **Où est-ce que** nous avons mal?

_____

4.   **Où est-ce qu'**ils ont mal?

_____

5.   **Où est-ce que** vous avez mal?

_____

Exercice 6 *

Exemple: **Où est-ce que** tu as froid?

— J'ai froid **aux pieds**.

1.   **Où est-ce que** vous avez froid?

_____

2.   **Où est-ce qu'**elles ont froid?

_____

3.   **Où est-ce que** j'ai froid?

_____

Question-test

   Où est-ce que vous avez mal?

_____

115

Il part à New York, en train, demain soir.

| Il part | à New York
dans le Nord
chez lui | en train
à cheval
en avion | demain soir.
samedi.
la semaine prochaine. |

| Demain soir,
Samedi,
La semaine prochaine, | il part | à New York
dans le Nord
chez lui | en train.
à cheval.
en avion. |

| Je fais | du ski
de la peinture
du piano | dans les Laurentides
au chalet
à Saint-Sauveur | le dimanche.
l'hiver.
le matin. |

| Elle va amener | les enfants
sa fille
Guy | au restaurant
chez le médecin
à l'école | en autobus.
en voiture.
en taxi. |

Exercice 1

Exemples:

Comment est-ce que tu vas laver ton chien demain?

— Demain, je vais laver mon chien **avec une brosse**.

Quand est-ce que tu vas laver ton chien avec une brosse?

— **Demain**, je vais laver mon chien avec une brosse.

Où est-ce que tu vas laver ton chien demain?

— Demain, je vais laver mon chien **dans le jardin**.

1. _____ ?

   — **Ce soir**, elle va couper le bois avec une hache.

2. _____ ?

   — Ce soir, elle va couper le bois **avec une hache**.

3. _____ ?

   — Lundi, il va réparer la porte **dans le garage**.

4. _____ ?

   — **Lundi**, il va réparer la porte dans le garage.

5. _____ ?

   — À midi, nous allons faire des gâteaux **dans la cuisine**.

6. _____ ?

   — **À midi**, nous allons faire des gâteaux dans la cuisine.

7. _____ ?

   — **Le matin**, je joue au tennis dans le parc.

8. _____ ?

   — Le matin, je joue au tennis **dans le parc**.

9. _____ ?

   — **L'été**, elle fait de la bicyclette derrière la maison.

10. _____ ?

    — L'été, elle fait de la bicyclette **derrière la maison**.

11. _____ ?

    — Nous traversons le lac en canot **le dimanche**.

12. _____ ?

    — Nous traversons le lac **en canot** le dimanche.

13. _____ ?

    — **L'hiver**, je vais au chalet en motoneige.

14. _____ ?

    — L'hiver, je vais au chalet **en motoneige**.

117

Exercice 2

Exemple: Elle va présenter son amie │ **à sa mère** │ demain.

Elle va │ **lui** │ présenter son amie demain.

1. Nous allons donner une bicyclette **à Paul** l'été prochain.
    _____

2. Elle va écrire une lettre **à son professeur** tout à l'heure.
    _____

3. Le soir, elle lit des histoires **à ses enfants**.
    _____

4. À trois heures, tu vas acheter un gâteau **à ta fille**.
    _____

5. Dimanche, ils vont apporter des fleurs **à leur grand-mère**.
    _____

6. Lundi, je vais expliquer la leçon **à Martine et à Michel**.
    _____

Exercice 3

Exemple: Elle va présenter │ **son amie** │ à sa mère demain.

Elle va │ **la** │ présenter à sa mère demain.

1. Cet hiver, il va prêter **ses skis** à son frère.
    _____

2. Je vais donner **mon bateau** à Guy l'été prochain.
    _____

3. Ce soir, tu vas expliquer **ton travail** à tes parents.
    _____

4. La semaine prochaine, elle va apporter **sa télévision** à son père.
    _____

Exercice 4

Exemple: (une - ton - ta - écris - tu - chambre - à - dans - lettre - ami)

Tu écris une lettre à ton ami dans ta chambre.

1. (cinéma - à - au - heures - vous - cinq - attendons - nous)
    _____

2. (voiture - leurs - promènent - dimanche - enfants - ils - en - le)
    _____

3. (avion - été - elle - prochain - en - à - l' - Calgary - part)
    _____

4. (train - Sud - allons - mardi - en - nous - du - revenir)
    _____

Exercice 5 *

Exemple: Où est-ce que tu pars **en voiture, demain?**

{ — **Demain,** je pars **à Toronto en voiture.**

— Je pars **à Toronto en voiture demain.**

1. Où est-ce que je vais **en autobus, dimanche?**

_____

2. Où est-ce que vous partez **à cheval, l'été prochain?**

_____

3. Où est-ce qu'il va **en taxi, ce soir?**

_____

4. Où est-ce que nous partons **en avion, lundi prochain?**

_____

5. Où est-ce qu'elles vont **en bateau, mardi?**

_____

6. Où est-ce qu'on va **à bicyclette, le printemps prochain?**

_____

Exercice 6 *

Exemple:	Je	vais	revenir	de Miami	en avion	demain.
1.	Il		partir			
2.	Nous		aller			
3.	Vous		venir			
4.	Elle		sortir			
5.	Tu		travailler			
6.	Ils		revenir			
7.	Nous		partir			
8.	Vous		aller			
9.	On		venir			
10.	Je		travailler			

Question-test

Comment est-ce que vous allez partir à Ottawa dimanche?

_____

● **La phrase à la forme affirmative;**
        à la forme interrogative (obj. 1, 2, 4, 6);
        à la forme négative (obj. 15).

● **Les verbes "être"** (obj. 1) ⎫ **au présent de l'indicatif;**
        "avoir" (obj. 5) ⎬ **au futur immédiat** (obj. 24).

● **Les verbes du 1er groupe**
        réguliers (obj. 8);
        suivis de "à" (obj. 13);   **au présent de l'indicatif;**
        à deux radicaux (obj. 23).   ▶**au futur immédiat** (obj. 24);

● **Les verbes du 3ième groupe** (obj. 19).   **au présent de l'impératif** (obj. 11).

● **Les verbes "faire"** (obj. 12);
        "aller" (obj. 21);
        "partir, sortir, venir" (obj. 25).

● **Les compléments d'objet direct** (nom / pronom (obj. 9));
        d'objet indirect (nom (obj. 13) / pronom (obj. 17));
        de lieu introduits par "sur, sous, dans, devant, derrière, entre" (obj. 7);
               par "à, au, dans, en" (obj. 21);
               par "du, de, chez" (obj. 25);
        de temps "le matin, le soir, lundi..." (obj. 14); "demain, en été,
               le mois prochain..." (obj. 24); introduits par "à" (obj. 10);
        de manière introduits par "à, en, avec" (obj. 22).

● **Les noms** au singulier et au pluriel.
● **Les adjectifs qualificatifs** au masculin et au féminin (obj. 1, 2, 20).
● **Les adjectifs possessifs** "mon, ma, ton, ta, son, sa, notre, votre, leur, mes, tes, ses, nos, vos,
        leurs" (obj. 2, 16).
● **Les articles définis** "le, la, les" (obj. 3);
        indéfinis "un, une, des" (obj. 5);
        partitifs "du, de la, des" (obj. 11).
● **Les pronoms personnels sujets** "je, tu, il, elle, on, nous, vous, ils, elles" (obj. 1);
        compléments d'objet direct "me, te, le, la, nous, vous, les" (obj. 9);
        compléments d'objet indirect "me, te, lui, nous, vous, leur" (obj. 17);
        toniques "moi, toi, lui, elle, nous, vous, eux, elles" (obj. 16).

● **Les nombres** (obj. 6).
● **Les expressions idiomatiques avec "avoir"** (obj. 26) et **"il y a"** (obj. 7).
● **Les questions débutant par**
    "Quel" (obj. 2, 6);
    "Est-ce que" (obj. 4);
    "Combien de" (obj. 6);
    "As-tu, a-t-il, etc." (obj. 6);
    "Es-tu, est-il, etc." (obj. 6);
    "Qu'est-ce que" (obj. 7, 8);
    "Où est-ce que" (obj. 7);
    "À qui" (obj. 13);
    "À quoi" (obj. 13);
    "Quand" (obj. 14);
    "À quelle heure" (obj. 14);
    "Comment" (obj. 1, 22).

Exercice 1 *

aller	à	États-Unis
partir	au	France
revenir	dans les	Montréal
venir	aux	Est
sortir	en	Italie
	à la	épicerie
	à l'	dentiste
	chez le	Mexique
	du	Antilles
	de	Canada
	d'	Laurentides
	de l'	maison
	des	Vancouver

Exemple: Je pars dans les Laurentides.

1.   Elle _____

2.   Nous _____

3.   Tu _____

4.   Vous _____

5.   Ils _____

6.   On _____

7.   Elles _____

8.   Il _____

9.   Je _____

10.   Nous _____

11.   Vous _____

12.   Tu _____

Exercice 2 *

Exemple: Son cuisinier est italien.
　　　　　　 Sa cuisinière est italienne.

1.   Le pianiste est mauvais.

_____

2.   Ton cousin est méchant.

_____

3.   L'épicier est petit.

_____

4.   Mon fleuriste est russe.

_____

5.   Les infirmiers sont gentils.

_____

6.   Votre avocat est vieux.

_____

7.   Mon professeur est beau.

_____

Exercice 3 *

Exemple: Combien d'enfants avez-vous?

— J'ai huit enfants.

1. Qu'est-ce qu'il y a _____ ?
   _____

2. Est-ce qu'il y a _____ ?
   _____

3. Où est-ce qu'il y a _____ ?
   _____

4. Qu'est-ce que _____ ?
   _____

5. À qui _____ ?
   _____

6. À quoi _____ ?
   _____

7. Quand _____ ?
   _____

8. À quelle heure _____ ?
   _____

9. Comment _____ ?
   _____

10. Avez-vous _____ ?
    _____

11. Êtes-vous _____ ?
    _____

12. Es-tu _____ ?
    _____

Exercice 4 *

Exemples: (manger)   Mangez | du | pain!

  Mangez | de la | viande!

  Mangez | des | fruits!

1. (couper) _____ [ ] fromage!
2. (ajouter) _____ [ ] eau!
3. (boire) _____ [ ] vin!
4. (préparer) _____ [ ] salade!
5. (apporter) _____ [ ] gâteaux!
6. (acheter) _____ [ ] bière!
7. (prêter) _____ [ ] argent!
8. (faire) _____ [ ] sport!

Exercice 5 *

Exemple: Je lave $\boxed{\text{mon chien}}$.

          Je $\boxed{\text{le}}$ lave.

1. _____

      Il $\boxed{\text{la}}$ regarde.

2. _____

      Elle $\boxed{\text{les}}$ a.

3. _____

      Tu $\boxed{\text{le}}$ prépares.

4. _____

      Je $\boxed{\text{l'}}$ écoute.

5. _____

      Elle $\boxed{\text{l'}}$ embrasse.

6. _____

      Nous $\boxed{\text{la}}$ cherchons.

Exercice 6 *

Exemple: J'écris une lettre $\boxed{\text{à ma mère}}$.

          Je $\boxed{\text{lui}}$ écris une lettre.

1. _____

      Il $\boxed{\text{leur}}$ explique la leçon.

2. _____

      Je $\boxed{\text{lui}}$ raconte une histoire.

3. _____

      Elle $\boxed{\text{leur}}$ apporte des fleurs.

Exercice 7 *

Exemple: Il va présenter $\boxed{\text{son amie}}$ $\boxed{\text{à ses parents}}$.

          Il va $\boxed{\text{la}}$ présenter à ses parents.

          Il va $\boxed{\text{leur}}$ présenter son amie.

1.   Elle va donner **sa bicyclette à sa soeur.**

_____

_____

2.   Je vais prêter **mes patins à Bernard.**

_____

_____

3.   Tu vas expliquer **ton travail aux enfants.**

_____

_____

4.   Nous allons apporter **les fleurs à Marie.**

_____

_____

Exercice 8 *

Exemple

1.

2.

3

4.

5.

6.

7.

8.

Exemple: Le soir, à la maison, ma soeur fait de la couture.

Qu'est-ce que vous allez faire au printemps, en été, en automne, en hiver?

_____
_____
_____
_____
_____
_____
_____
_____
_____
_____
_____
_____
_____
_____
_____

Corrigé des exercices

Objectif 1

Exercice 1
1. Je m'appelle Guy Bélanger.
2. Oui, je suis photographe.
3. Je vais bien, merci.
4. Bonjour! Comment vous appelez-vous?
5. Vous êtes professeur?
6. Comment allez-vous?
7. Bonjour! Comment vous appelez-vous?
8. Vous êtes artiste?
9. Comment allez-vous?

Exercice 2
1. Je m'appelle Michel Goncourt.
2. Oui, je suis secrétaire.
3. Je vais bien, merci.
4. Bonjour! Comment t'appelles-tu?
5. Tu es journaliste?
6. Comment vas-tu?
7. Bonjour! Comment t'appelles-tu?
8. Tu es fleuriste?
9. Comment vas-tu?

Exercice 3
1. Il sont malades.
2. Elle est triste.
3. Elles sont riches.
4. Il est riche.
5. Ils sont pauvres.

Exercice 4
1. est
2. êtes
3. sont
4. suis
5. es
6. sommes
7. est
8. sont
9. êtes

Exercice 5
1. Je
2. Ils/Elles
3. Vous
4. Tu
5. Nous
6. Il/Elle
7. Ils/Elles
8. Il/Elle
9. Vous

Exercice 6
1. Non, il est secrétaire.
2. Non, elle est professeur.
3. Non, elle est peintre.
4. Non, il est journaliste.
5. Non, elle est artiste.
6. Non, il est fleuriste.

Objectif 2

Exercice 1
1. Quel est ton nom?
   Mon nom est Joan Clark.
2. Quelle est ta nationalité?
   Je suis canadienne.
3. Quel est ton métier?
   Je suis cuisinière.
4. Quel est ton nom?
   Mon nom est Pedro Gonzales.
5. Quelle est ta nationalité?
   Je suis mexicain.
6. Quel est ton métier?
   Je suis coiffeur.
7. Quel est ton nom?
   Mon nom est Yoko Okada.
8. Quelle est ta nationalité?
   Je suis japonaise.
9. Quel est ton métier?
   Je suis épicière.

Exercice 2
1. Quel est votre nom?
   Mon nom est John Wilson.
2. Quelle est votre nationalité?
   Je suis jamaïcain.
3. Quelle est votre profession?
   Je suis écrivain.
4. Quel est votre nom?
   Mon nom est Dimitri Caroussos.
5. Quelle est votre nationalité?
   Je suis grec.
6. Quelle est votre profession?
   Je suis pianiste.
7. Quel est votre nom?
   Mon nom est Carmen Alvarez.
8. Quelle est votre nationalité?
   Je suis espagnole.
9. Quelle est votre profession?
   Je suis avocate.

Exercice 3
1. Son nom est... Quel est son métier?
   Il est coiffeur.
2. Son nom est... Quel est son métier?
   Elle est épicière.
3. Son nom est... Quel est son métier?
   Elle est cuisinière.
4. Son nom est... Quel est son métier?
   Il est pianiste.
5. Son nom est... Quel est son métier?
   Elle est médecin.

Exercice 4
1. Elle est... Quelle est sa nationalité?
   Elle est espagnole.
2. Il est... Quelle est sa nationalité?
   Il est mexicain.
3. Elle est... Quelle est sa nationalité?
   Elle est canadienne.
4. Il est... Quelle est sa nationalité?
   Il est grec.
5. Elle est... Quelle est sa nationalité?
   Elle est italienne.

Exercice 5
1. Elle est... Quelle est son nom?
   Son nom est Yoko Okada.
2. Il est... Quel est son nom?
   Son nom est Dimitri Caroussos.
3. Elle est... Quel est son nom?
   Son nom est Joan Clark.
4. Il est... Quel est son nom?
   Son nom est Igor Petrov.
5. Il est... Quel est son nom?
   Son nom est Pedro Gonzales.

Objectif 3

Exercice 1
1. La journaliste est italienne.
2. La photographe est mexicaine.
3. L'avocate est canadienne.
4. L'écrivain est jamaïcain.
5. L'infirmière est grecque.

Exercice 2
1. Ma coiffeuse est italienne.
2. Ma secrétaire est japonaise.
3. Mon épicière est russe.
4. Mon professeur est canadien.
5. Mon médecin est jamaïcain.

Exercice 3
1. Les fleuristes sont jeunes.
2. Les artistes sont espagnols.
3. Les cuisinières sont italiennes.
4. Les épiciers sont mexicains.
5. Les avocates sont riches.
6. Les peintres sont grecs.
7. Les dentistes sont tristes.
8. Les écrivains sont pauvres.
9. Les médecins sont malades.

Objectif 4

Exercice 1
1. Non, Gilles Martel est ton oncle.
2. Non, Léonie Paradis est ta grand-mère.
3. Oui, Julie Martel est ta soeur.
4. Non, Normand Martel est ton frère.

5. Non, Diane Paradis est ta mère.
6. Non, Émile Martel est ton grand-père.

Exercice 2
1. neveu
2. fille
3. femme
4. nièce
5. mari

Exercice 3
1. Mon
2. Ma
3. Ma
4. Ma
5. Mon
6. Ma
7. Mon
8. Mon
9. Mon
10. Mon
11. Ma
12. Ma
13. Mon
14. Ma

Exercice 4

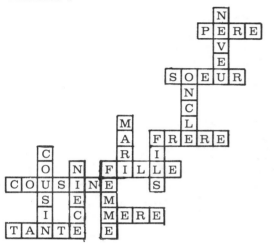

Objectif 5

Exercice 1
1. des
2. un
3. un
4. un
5. des
6. une
7. un
8. des
9. une
10. un
11. des
12. un
13. une
14. une

Exercice 2
1. ai
2. a
3. avez
4. ont
5. as
6. a
7. a

Exercice 3
1. Nous ... une
2. Ils/Elles ... un
3. Il/Elle/On ... un
4. Vous ... une
5. Ils/Elles ... un
6. Tu ... une
7. J' ... des
8. Il/Elle/On ... des
9. Ils/Elles ... un
10. Nous ... des
11. Vous ... une
12. Tu ... un/des

Objectif 6

Exercice 1
1. A-t-elle une robe?
2. Ont-elles des fleurs?
3. A-t-il des cigarettes?
4. Ont-ils des livres?

Exercice 2
1. Sont-ils cuisiniers?
2. Sont-elles photographes?
3. Est-il fleuriste?
4. Est-elle professeur?

Exercice 3
1. A-t-il un chapeau?
   a
2. Est-elle malade?
   est
3. Ont-ils un manteau?
   ont
4. Est-il coiffeur?
   est
5. Ont-elles un bureau?
   ont
6. A-t-elle une soeur?
   a

Exercice 5
1. Oui, je suis écrivain.
2. Oui, nous sommes russes.
3. Oui, je suis infirmière.
4. Oui, je suis japonaise.
5. Oui, nous sommes coiffeurs.
6. Oui, nous sommes mexicaines.

Exercice 6

Exercice 7

Exercice 8
1. douze
2. vingt et un
3. neuf
4. quatorze
5. vingt-trois
6. dix-sept
7. quinze
8. cinq
9. onze
10. vingt

Exercice 9
1. ont-elles
   Elles ont six clés.
2. ont-elles
   Elles ont cinq chats.
3. a-t-il
   Il a deux amies.
4. a-t-elle
   Elle a quatre enfants.
5. ont-ils
   Ils ont un parapluie.

Exercice 10
1. Il est onze heures.
2. Il est quatre heures.
   (Il est seize heures.)
3. Il est sept heures.
   (Il est dix-neuf heures.)
4. Il est dix heures.
   (Il est vingt-deux heures.)
5. Il est huit heures.
6. Il est midi.

Objectif 7

Exercice 1
1. Qu'est-ce qu'il y a sous le lit?
2. Qu'est-ce qu'il y a dans la maison?
3. Qu'est-ce qu'il y a devant la porte?
4. Qu'est-ce qu'il y a derrière le voleur?
5. Qu'est-ce qu'il y a entre les policiers?

Exercice 2
1. Où est-ce qu'il y a un chien?
   Il y a un chien entre les voitures.
2. Où est-ce qu'il y a un chat?
   Il y a un chat sous la voiture.
3. Où est-ce qu'il y a un voleur?
   Il y a un voleur dans la banque.
4. Où est-ce qu'il y a un policier?
   Il y a un policier devant la banque.
5. Où est-ce qu'il y a un téléphone?
   Il y a un téléphone devant le restaurant.

Exercice 3
1. Non, il y a un chien entre les voitures.
2. Non, il y a un chat sous la voiture.
3. Non, il y a un voleur dans la banque.
4. Non, il y a un téléphone devant le restaurant.
5. Non, il y a une auto { sous l'arbre. dans le garage. }

Objectif 8

Exercice 1
1. Nous jouons.
   Ils jouent.
2. Nous préparons le souper.
   Ils préparent le souper.
3. Je regarde la télévision.
   Il regarde la télévision.
4. Nous dansons.
   Ils dansent.

Exercice 2
1. Il travaille dans son garage.
2. Elle écoute la radio.
3. Il lave la vaisselle.
4. Elle étudie sa leçon.

Exercice 3
1. faites
   { Je fume / Nous fumons } la pipe.
2. fait
   Il danse.
3. fais
   { Tu téléphones. / Vous téléphonez. }
4. faisons
   { Vous lavez / Nous lavons } la vaisselle.
5. fait
   Elle joue.
6. font
   Ils écoutent la radio.
7. fais
   Je prépare le souper.
8. font
   Elles regardent la télévision.
9. fais
   { Tu travailles / Vous travaillez } dans ton garage.

Exercice 5
1. écoutent
2. fumez
3. étudie
4. prépares
5. lavez
6. joue
7. travaillons
8. regardes

Objectif 9

Exercice 1
1. Oui, je t'embrasse.
2. Oui, nous { vous; t' } écoutons.
3. Oui, je vous cherche.
4. Oui, je vous trouve.

Exercice 2
1. Oui, elle les porte.
2. Oui, il les garde.
3. Oui, elles la réparent.
4. Oui, ils le mangent.

Exercice 3
1. Je le regarde.
2. Elles les cherchent.
3. Il l'embrasse.
4. Vous l'écoutez.
5. Nous les portons.
6. Elle la prépare.
7. Je les ai.

Exercice 4
1. Oui, je l'aime.
2. Oui, il la garde.
3. Oui, { tu l'écoutes. / vous l'écoutez. }
4. Oui, je le cherche.
5. Oui, elle l'embrasse.
6. Oui, { nous l'avons. / je l'ai. }

7. Oui, $\begin{cases} \text{vous l'avez.} \\ \text{nous l'avons.} \end{cases}$

Objectif 11

Exercice 1
1. Traversez!
2. Monte!
3. Arrêtez!
4. Fermez la porte!
5. Signez!

Exercice 2
1. traversez
   Traversez la rue!
2. entres
   Entre dans le magasin!
3. signons
   Signons les chèques!
4. arrêtez
   Arrêtez votre voiture!
5. montons
   Montons dans la chambre!
6. signes
   Signe ton nom!

Exercice 5
1. Embrasse
2. Mangeons
3. Traverse
4. Entrons
5. Étudiez
6. Prépare
7. Écoutez
8. Fermez
9. Signe
10. Lave

Objectif 12

Exercice 1
1. Je fais du violon.
2. Je fais du piano.
3. Je fais de la peinture.
4. Je fais le ménage.
5. Je fais du feu.
6. Je fais la cuisine.
7. Je fais la vaisselle.
8. Je fais de la couture.
9. Je fais le café.
10. Je fais des réparations.

Exercice 2
1. Je fais de la natation.
2. Je fais du bateau.
3. Je fais de la bicyclette.
4. Je fais du cheval.
5. Je fais de la raquette.
6. Nous faisons du judo.
7. Nous faisons du tennis.
8. Je fais de la danse.
9. Je fais de la marche.

Exercice 5
1. fais ... bruit
2. fait ... judo
3. faisons ... feu
4. faites ... café
5. font ... sport
6. font ... bateau

Objectif 13

Exercice 1
1. Il ressemble à son père.
2. Il demande son chemin au policier.
3. Il chante une chanson à son amie.

Exercice 2
1. À qui est-ce qu'il pense?
2. À qui est-ce qu'elle prête de l'argent?
3. À qui est-ce qu'elle donne un cadeau?

Exercice 4
1. À qui $\begin{cases} \text{demandez-vous une bière?} \\ \text{demandes-tu une bière?} \end{cases}$
2. À qui est-ce qu'il apporte le souper?
3. À qui $\begin{cases} \text{signez-vous un chèque?} \\ \text{signes-tu un chèque?} \end{cases}$
4. À qui est-ce que $\begin{cases} \text{vous expliquez le chemin?} \\ \text{nous expliquons le chemin?} \end{cases}$
5. À qui est-ce qu'elle téléphone?
6. À qui est-ce qu'il prête sa montre?
7. À qui $\begin{cases} \text{donnez-vous des fleurs?} \\ \text{donnes-tu des fleurs?} \end{cases}$
8. À qui est-ce qu'elle fait du café?

Exercice 5
1. À quoi est-ce qu'elle joue?
2. À qui est-ce que j'explique la leçon?
3. À quoi est-ce qu'il rêve?
4. À qui est-ce que $\begin{cases} \text{nous donnons les clés?} \\ \text{je donne les clés?} \end{cases}$
5. À qui est-ce que je prête de l'argent?
6. À quoi est-ce que le garage ressemble?

Exercice 6
1. donne
2. chante
3. signes
4. jouez
5. rêve
6. prêtons
7. demandent
8. ressembles
9. parle
10. pensons
11. téléphone
12. expliquent

Objectif 14

Exercice 1
1. Il est onze heures vingt-cinq.
2. Il est une heure cinq (treize heures cinq).
3. Il est huit heures et quart (huit heures un quart) (huit heures quinze).
4. Il est neuf heures vingt.
5. Il est onze heures et demie (vingt-trois heures trente).
6. Il est dix heures moins le quart (dix heures moins un quart) (vingt et une heure quarante-cinq).
7. Il est cinq heures et quart (cinq heures un quart) (cinq heures quinze).
8. Il est minuit et demi (minuit trente).

Exercice 2
1. $\begin{cases} \text{Nous faisons le ménage à dix heures dix.} \\ \text{Je fais le ménage à dix heures dix.} \end{cases}$
2. Elle regarde la télévision à sept heures moins le quart (sept heures moins un quart).
3. Il allume le feu à six heures moins cinq.
4. On apporte le café à sept heures et demie.
5. $\begin{cases} \text{Vous gardez les enfants à deux heures et quart (deux heures un quart).} \\ \text{Nous gardons les enfants à deux heures et quart (deux heures un quart).} \end{cases}$
6. $\begin{cases} \text{Nous faisons la vaisselle à deux heures moins vingt.} \\ \text{Je fais la vaisselle à deux heures moins vingt.} \end{cases}$

Exercice 3
1. Quand est-ce qu'ils font la cuisine?
   Ils font la cuisine le mardi soir.
2. Quand est-ce qu'il fait de la peinture?
   Il fait de la peinture le mercredi.
3. Quand est-ce qu'il fait du tennis?
   Il fait du tennis le jeudi.
4. Quand est-ce qu'il fait la vaisselle?
   Il fait la vaisselle le vendredi.
5. Quand est-ce qu'il fait des réparations?
   Il fait des réparations le samedi matin.
6. Quand est-ce qu'il fait de la bicyclette?
   Il fait de la bicyclette le dimanche après-midi.
7. Quand est-ce qu'ils font de la musique?
   Ils font de la musique le dimanche soir.

Exercice 6

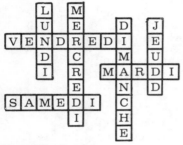

Exercice 7
1. À huit heures
2. À dix heures
3. À midi
4. À une heure
5. L'après-midi
6. À quatre heures
7. À cinq heures
8. Le soir
9. À minuit
10. La nuit

Objectif 15

Exercice 1
1. Non, ils n'ont pas de médecin.
2. Non, je n'ai pas de cousine.
3. Non, elle n'a pas de frères.
4. Non, je n'ai pas d'avocat.
5. Non, { tu n'as pas de cuisinière.
          { vous n'avez pas de cuisinière.
6. Non, je n'ai pas de nièces.
7. Non, elle n'a pas de mari.
8. Non, { nous n'avons pas d'enfants.
          { je n'ai pas d'enfants.
9. Non, on n'a pas de dentiste.
10. Non, elles n'ont pas de parents.

Exercice 2
1. Non, il n'y a pas de téléphone dans la cuisine.
2. Non, il n'y a pas d'auto devant le garage.
3. Non, il n'y a pas de jardin derrière le restaurant.
4. Non, il n'y a pas d'arbres entre les maisons.
5. Non, il n'y a pas de nom sur la porte.

Exercice 3
1. Non, je ne fais pas de piano.
2. Non, ils ne font pas de ski.
3. Non, { tu ne fais pas de bateau.
          { vous ne faites pas de bateau.
4. Non, { vous ne faites pas de marche.
          { nous ne faisons pas de marche.
5. Non, ils ne font pas de réparations.

Exercice 4
1. Non, { vous n'étudiez pas la leçon.
          { nous n'étudions pas la leçon.
2. Non, il ne fume pas la pipe.
3. Non, je ne regarde pas la télévision.
4. Non, on ne prépare pas le souper.
5. Non, elle n'écoute pas sa mère.
6. Non, { nous ne cherchons pas les cigarettes.
          { je ne cherche pas les cigarettes.
7. Non, je n'aime pas les fruits.
8. Non, { tu n'embrasses pas ton père.
          { vous n'embrassez pas votre père.
9. Non, il ne garde pas les bébés.
10. Non, { nous ne trouvons pas son parapluie.
           { je ne trouve pas son parapluie.

Exercice 5
1. Non, il ne l'écoute pas.
2. Non, { nous ne la réparons pas.
          { je ne la répare pas.
3. Non, ils ne les portent pas.
4. Non, { tu ne l'aimes pas.
          { vous ne l'aimez pas.
5. Non, { vous ne les fermez pas.
          { nous ne les fermons pas.

Objectif 16

Exercice 1
1. à toi
2. à nous
3. à vous

Exercice 2
1. Ce sont tes enfants.
2. Ce sont ses enfants.
3. Ce sont ses enfants.
4. Ce sont nos enfants.
5. Ce sont leurs enfants.

Exercice 3
1. sa ... elle
2. son ... lui
3. son ... elle
4. leur ... eux
5. leur ... eux
6. leur ... elles
7. ses ... lui
8. ses ... elle
9. leurs ... eux
10. leurs ... eux
11. leurs ... elles

Objectif 17

Exercice 1
1. Il lui ressemble.
2. Je lui donne mes skis.
3. Tu lui signes un chèque.
4. Il leur apporte de la bière.
5. Nous lui prêtons une montre.
6. Vous leur demandez de l'argent.

Exercice 2
1. Non, elle ne me ressemble pas.
2. Non, { nous ne vous faisons pas de café.
          { je ne vous fais pas de café.
3. Non, { elle ne nous explique pas nos devoirs.
          { elle ne m'explique pas mes devoirs.
4. Non, il ne m'apporte pas de bière.
5. Non, je ne te demande pas l'heure.

6. Non, { nous ne vous racontons pas d'histoire.
je ne vous raconte pas d'histoire.

Objectif 19

Exercice 1
1. Vous mettez votre manteau.
2. Tu apprends ta leçon.
3. Vous lisez le journal.
4. Il ouvre la porte.
5. Il boit une bière.
6. Je prends un café.
7. Ils courent dans le parc.

Exercice 2
1. lisons
2. mets
3. écris
4. ouvre
5. attendent
6. comprenez
7. attend
8. boivent

Exercice 3
1. Non, { nous ne l'apprenons pas.
je ne l'apprends pas.
2. Non, elle ne le boit pas.
3. Non, ils ne le lisent pas.
4. Non, je ne la comprends pas.
5. Non, je ne l'écris pas.
6. Non, { nous ne l'ouvrons pas.
je ne l'ouvre pas.
7. Non, ils ne les mettent pas.
8. Non, { nous ne le comprenons pas.
je ne le comprends pas.

Exercice 4
1. Buvons notre lait!
Buvez votre lait!
2. Apprends tes leçons!
Apprenons nos leçons!
3. Mets tes souliers!
Mettez vos souliers!
4. Ouvre ton parapluie!
Ouvrons notre parapluie!

Objectif 20

Exercice 1
1. Sa femme est belle.
2. Ton fils est laid.
3. Votre amie est gentille.
4. Son mari est mince.
5. Ta nièce est petite.
6. Votre frère est grand.
7. Sa mère est grosse.

Objectif 21

Exercice 2
1. allons au
2. allez à l'
3. va à la
4. vont à l'
5. va au
6. vas au
7. vont au
8. va au

Exercice 3
1. Oui, il va chez lui.
2. Oui, { vous allez chez vous.
nous allons chez nous.

3. Oui, { elle va chez toi.
elle va chez vous.
4. Oui, ils vont chez eux.
5. Oui, { tu vas chez elle.
vous allez chez elle.
6. Oui, { nous allons chez nous.
je vais chez moi.
7. Oui, elles vont chez elles.

Exercice 4
1. Oui, elle y va ce soir.
2. Oui, { vous y allez dimanche.
nous y allons dimanche.
3. Oui, { nous y allons ce matin.
j'y vais ce matin.
4. Oui, ils y vont le lundi.
5. Oui, { tu y vas à huit heures.
vous y allez à huit heures.
6. Oui, j'y vais jeudi.

Objectif 22

Exercice 1
1. Elle fait de la peinture avec un pinceau.
2. { Nous coupons le bois avec une hache.
Je coupe le bois avec une hache.
3. { Vous faites le ménage avec un balai.
Nous faisons le ménage avec un balai.
4. Il fait les gâteaux avec des oeufs.
5. { Tu manges ta viande avec une fourchette.
Vous mangez votre viande avec une fourchette.
6. Je bois mon lait avec une paille.
7. Elles jouent au tennis avec une raquette.
8. Il coupe le poulet avec un couteau.
9. Elle lit son journal avec des lunettes.
10. Je répare la chaise avec un marteau.
11. { Tu manges ta soupe avec une cuillère.
Vous mangez votre soupe avec une cuillère.

Exercice 3
1. lavons notre chien
2. faites des gâteaux
3. mangent leur soupe
4. coupes le poulet
5. répare la chaise
6. fais de la peinture
7. lisent leur journal
8. joue au tennis
9. buvons notre lait
10. mangez votre viande
11. faisons le ménage

Objectif 23

Exercice 1
1. Qu'est-ce que { tu enlèves?
vous enlevez?
2. Qu'est-ce que vous achetez?
3. Qu'est-ce que { tu espères?
vous espérez?
4. J'amène les enfants chez le coiffeur.
5. Je promène mon chien dans le parc.

Exercice 2
1. enlèves
Non, je ne l'enlève pas derrière la maison.
2. amène
Non, elle ne l'amène pas au restaurant.
3. appelle
Non, { tu ne l'appelles pas au téléphone.
vous ne l'appelez pas au téléphone.

4. jetons

Non, { vous ne les jetez pas à la poubelle.
{ nous ne les jetons pas à la poubelle.

5. promènent

Non, ils ne le promènent pas en bateau.

6. répète

Non, on ne la répète pas à nos amis.

7. amenez

Non, { nous ne les amenons pas chez nous.
{ je ne les amène pas chez moi.

8. enlèves

Non, je ne les enlève pas devant la porte.

Exercice 3

1. Jetez vos papiers!
   Jetons nos papiers!
2. Achetez de la bière!
   Achetons de la bière!
3. Enlevez vos souliers!
   Enlevons nos souliers!
4. Promenez le chien!
   Promenons le chien!
5. Amenez votre soeur!
   Amenons notre soeur!

Exercice 4

1. { promène
   { amène
2. achetez
3. enlèves
4. espèrent
5. promenons
6. jette
7. répète
8. appelez

Objectif 24

Exercice 1

1. En été, il va { faire du } tennis.
   { jouer au }
   Elle va faire de la bicyclette.
   Il va faire du { canot.
   { bateau.
2. En automne, il va aller à la chasse.
   Il va ramasser les pommes.
3. En hiver, elle va faire du patin.
   Il va faire du ski.
   Il va faire de la raquette.

Exercice 2

1. allons
   { Vous allez réparer la voiture
   { Nous allons réparer la voiture
2. va
   Elle va être médecin
3. vont
   Ils vont étudier leurs leçons
4. va
   Elle va avoir un enfant
5. vas
   Je vais apprendre le français
6. va
   Il va voir sa grand-mère
7. vais
   { Tu vas être mince
   { Vous allez être mince
8. allez
   { Nous allons acheter une motoneige
   { Je vais acheter une motoneige
9. va
   Elle va nous présenter son ami

10. allons
    { Vous allez faire le ménage
    { Nous allons faire le ménage
11. vas
    Je vais écrire un livre
12. vont
    Ils vont être riches

Objectif 25

Exercice 1

1. revenons d'
2. revenez de l'
3. reviens de
4. reviennent du
5. revient des
6. reviens du

Exercice 2

1. sortons de l'
   Oui, { vous sortez de l'église.
   { nous sortons de l'église.
2. partons en
   Oui, { vous partez en Italie.
   { nous partons en Italie.
3. sors du
   Oui, je sors du restaurant.
4. pars aux
   Oui, je pars aux États-Unis.
5. sortez de
   Oui, { nous sortons de chez nous.
   { je sors de chez moi.
6. partez dans le
   Oui, { nous partons dans le Nord.
   { je pars dans le Nord.

Exercice 3

1. Pars avec elle!
   Partons avec elle!
2. Sors avec elles!
   Sortons avec elles!
3. Va avec eux!
   Allez avec eux!

Objectif 26

Exercice 1

1. J'ai faim.
2. Nous avons soif.
3. Nous avons sommeil.
4. J'ai chaud.
5. J'ai froid.

Exercice 2

1. Non, { nous n'avons pas chaud.
   { je n'ai pas chaud.
2. Non, ils n'ont pas mal.
3. Non, elle n'a pas soif.
4. Non, { tu n'as pas sommeil.
   { vous n'avez pas sommeil.
5. Non, on n'a pas peur.
6. Non, elles n'ont pas froid.

Exercice 3

1. ai faim
2. a soif
3. avons mal
4. as sommeil
5. avez froid
6. ont chaud

Objectif 27

Exercice 1
1. Quand est-ce qu'elle va couper le bois avec une hache?
2. Comment est-ce qu'elle va couper le bois ce soir?
3. Où est-ce qu'il va réparer la porte lundi?
4. Quand est-ce qu'il va réparer la porte dans le garage?
5. Où est-ce que { vous allez faire des gâteaux à midi? / nous allons faire des gâteaux à midi?
6. Quand est-ce que { vous allez faire des gâteaux dans la cuisine? / nous allons faire des gâteaux dans la cuisine?
7. Quand est-ce que { tu joues au tennis dans le parc? / vous jouez au tennis dans le parc?
8. Où est-ce que { tu joues au tennis le matin? / vous jouez au tennis le matin?
9. Quand est-ce qu'elle fait de la bicyclette derrière la maison?
10. Où est-ce qu'elle fait de la bicyclette l'été?
11. Quand est-ce que { vous traversez le lac en canot? / nous traversons le lac en canot?
12. Comment est-ce que { vous traversez le lac le dimanche? / nous traversons le lac le dimanche?
13. Quand est-ce que { tu vas au chalet en motoneige? / vous allez au chalet en motoneige?
14. Comment est-ce que { tu vas au chalet l'hiver? / vous allez au chalet l'hiver?

Exercice 2
1. Nous allons lui donner une bicyclette l'été prochain.
2. Elle va lui écrire une lettre tout à l'heure.
3. Le soir, elle leur lit des histoires.
4. À trois heures, tu vas lui acheter un gâteau.
5. Dimanche, ils vont lui apporter des fleurs.
6. Lundi, je vais leur expliquer la leçon.

Exercice 3
1. L'hiver, il les prête à son frère.
2. Je vais le donner à Guy l'été prochain.
3. Ce soir, tu vas l'expliquer à tes parents.
4. La semaine prochaine, elle va l'apporter à son père.

Exercice 4
1. { À cinq heures, nous vous attendons au cinéma. / Nous vous attendons au cinéma à cinq heures.
2. { Le dimanche, ils promènent leurs enfants en voiture. / Ils promènent leurs enfants en voiture le dimanche.
3. { L'été prochain, elle part à Calgary en avion. / Elle part à Calgary en avion l'été prochain.
4. { Mardi, nous allons revenir du Sud en train. / Nous allons revenir du Sud en train mardi.

Corrigé des questions-tests

Objectif 1 Non, elle est peintre.

Objectif 2 Mon nom est ...
        Je suis ...

Objectif 3 L'infirmière est canadienne.

Objectif 4 Oui, { mon père / il } est italien.

        Non, { mon père / il } est ...

Objectif 5 Est-ce que tu as un cousin?
        — Non, j'ai une cousine.

Objectif 6 Il est deux heures. (Il est quatorze heures.)

Objectif 7 Il y a un chat sur le lit.

Objectif 8 Ils jouent.

Objectif 9 Oui, je t'aime.

Objectif 10

Tu cherches { les enfants / ton chat / le parapluie / ... } { dans le jardin. / derrière la maison. / sous le lit. / ... }

Objectif 11 Étudiez votre leçon!

Objectif 12

Je fais / Nous faisons { du ski. / le ménage. / de la danse. / ... }

Objectif 13

Je pense { aux vacances. / à mon travail. / à son auto. / ... }

Objectif 14

J'écoute / Nous écoutons } la radio { le matin. / le soir. / le lundi. / ... }

Objectif 15 Non, je n'ai pas de frère.

Objectif 16 Oui, c'est leur voiture.

Objectif 17 Oui, je lui ressemble.

Objectif 18

Il prépare { le souper / son travail / ... } { le soir. / dans la cuisine. / ... }

Objectif 19 Oui, { je comprends / nous comprenons } l'italien.

        Non, { je ne comprends pas / nous ne comprenons pas } l'italien.

Objectif 20 J'ai une gentille petite cousine.

Objectif 21 Non, nous allons à Québec.

Objectif 22

Je vais chez moi { à pied. / en métro. / en autobus. / ... }

Objectif 23 Oui, je les appelle.

Objectif 24

Demain, je vais { travailler. / jouer au tennis. / aller à la pêche. / ... }

Objectif 25 Est-ce que vous partez en Italie?
        — Non, je pars au Japon.

Objectif 26

J'ai mal / Nous avons mal } { aux pieds. / au coeur. / à la tête. }

Objectif 27

Dimanche, $\left\{ \begin{array}{c} \text{je vais} \\ \text{nous allons} \end{array} \right\}$ partir à Ottawa $\left\{ \begin{array}{l} \text{en train.} \\ \text{en avion.} \\ \text{en auto.} \\ ... \end{array} \right.$

Objectif 28

Au printemps, $\left\{ \begin{array}{c} \text{je vais} \\ \text{nous allons} \end{array} \right\}$ aller à la pêche.

Je vais arroser les fleurs.
Je vais faire le jardinage.

En été, je vais $\left\{ \begin{array}{l} \text{faire du} \\ \text{jouer au} \end{array} \right\}$ tennis.

Je vais faire de la bicyclette.

Je vais faire du $\left\{ \begin{array}{l} \text{canot.} \\ \text{bateau.} \end{array} \right.$

En automne, je vais aller à la chasse.
Je vais ramasser les pommes.

En hiver, je vais faire du patin.
Je vais faire du ski.
Je vais faire de la raquette.

VOCABULAIRE

NOMS

A

l' âge (m) 34
l' allumette (f) 26
l' ambulance (f) 97
l' ami (m) 62
l' amie (f) 33
l' an (m) 34
l' année (f) 104
l' après-midi (m/f) 64
l' arbre (m) 35
l' argent (m) 54
l' artiste (m/f) 10
l' auto (f) 26
l' autobus (m) 84
l' automne (m) 104
l' avion (m) 97
l' avocat (m) 19
l' avocate (f) 16

B

le balai 98
la balle 60
le ballon 60
la banque 37
le bateau 58
le bébé 46
le beurre 54
la bicyclette 58
la bière 54
la bille 60
le bois 54
la brosse 96
le bruit 57
le bureau 26

C

le cadeau 61
le café 54
le camion 97
le canot 117
la chaise 26
le chalet 97
la chambre 48
la chanson 61
le chapeau 26
la chasse 105
le chat 29
le chemin 61
le chèque 53
le cheval 58
le chien 33
la cigarette 26
le cinéma 37
la clé 33
le coeur 115
le coiffeur 15
la coiffeuse 19
le cousin 22
la cousine 22
le couteau 98
la couture 57
le crayon 26
la cuillère 98
la cuisine 48

D

le cuisinier 18
la cuisinière 15

la danse 58
la dent 112
le dentiste 10
le devoir 62
le dimanche 64
la discothèque 94
le dos 115

E

l' eau (f) 52
l' écrivain (m) 16
l' église (f) 94
l' enfant (m/f) 33
l' épicerie (f) 94
l' épicier (m) 18
l' épicière (f) 15
l' est (m) 93
l' été (m) 104

F

la famille 22
la femme 23
la fenêtre 26
le feu 57
la fille 23
le fils 23
la fleur 26
le/la fleuriste 10
la fourchette 98
le frère 22
le français 72
le fromage 54
le fruit 52

G

le garage 37
le gâteau 46
la gorge 115
la grand-mère 22
le grand-père 22

H

la hache 98
l' heure (f) 34
l' histoire (f) 61
l' hiver (m) 104
le hockey (m) 62
l' homme (m) 35
l' hôpital (m) 94

I

l' infirmier (m) 15
l' infirmière (f) 19
l' italien (m) 86

J

la jambe 115
le jardin 43
le jardinage 105
le jeudi 64
le journal 85
le/la journaliste 10
le judo 58

L

le lac 97
le lait 54
la leçon 41
la lettre 86
le lit 35
le livre 26
le lundi 64
les lunettes (f) 98

M

le magasin 37
la main 115
la maison 35
le manteau 26
la marche 58
le marché 94
le mardi 64
le mari 23
le marteau 98
le matin 64
le médecin 16
le ménage 57
le mercredi 64
la mère 22
le métier 15
le métro 97
le mois 104
la montre 26
la motoneige 97
la musique 71

N

la nage 97
la natation 58
la nationalité 15
la neige 101
le neveu 23
la nièce 23
le nom 15
le nord 93
la nuit 64
le numéro 34

O

l' oeil (m) 115
l' oeuf (m) 98
l' oiseau (m) 37
l' oncle (m) 22
l' oreille (f) 115
l' ouest (m) 93

P

la paille 98
le pain 52
le pantalon 26
le papier 102
le parapluie 33
le parc 94
les parents (m) 25
le patin 66
la pêche 105
le peintre 10
la peinture 57
le père 22
le/la photographe 10
le/la pianiste 16

VERBES

acheter 101
aimer 44
ajouter 55
aller 92
allumer 65
amener 101
appeler 100
apporter 55
apprendre 85
arrêter 53
arroser 105
attendre 84
avoir 25
avoir chaud 113
avoir faim 113
avoir froid 113
avoir mal 113
avoir peur 113
avoir soif 113
avoir sommeil 113
boire 85
chanter 61
chercher 45
comprendre 85
couper 55
courir 85
danser 40
demander 61
donner 61
écouter 40
écrire 85
embrasser 45
enlever 101
entrer 53
espérer 101
être 9
étudier 41
expliquer 46
faire 39
fermer 53
fumer 41
garder 46
jeter 101
jouer 41
laver 40
lire 85
manger 46
mettre 85
monter 53
ouvrir 85
parler 61
partir 109
penser 60
porter 46
prendre 84
préparer 40
présenter 78
prêter 61
promener 101
raconter 61
ramasser 105
regarder 40
réparer 46
répéter 101
ressembler 61
revenir 108
rêver 60
signer 53

sortir 109
téléphoner 41
travailler 41
traverser 53
trouver 45
venir 110

ADJECTIFS

beau / belle 89
blanc / blanche 91
bleu / bleue 91
bon / bonne 90
canadien / canadienne 15
chaud / chaude 90
court / courte 90
espagnol / espagnole 16
froid / froide 90
gentil / gentille 89
grand / grande 88
grec / grecque 16
gros / grosse 89
italien / italienne 16
jamaïcain / jamaïcaine 16
japonais / japonaise 15
jaune 91
jeune 12
laid / laide 89
long / longue 90
malade 12
mauvais / mauvaise 90
méchant / méchante 89
mexicain / mexicaine 15
mince 89
neuf / neuve 90
noir / noire 91
orange 91
petit / petite 88
pauvre 12
prochain / prochaine 104
riche 12
rose 91
rouge 91
russe 15
triste 12
vert / verte 91
vieux / vieille 89

ÉLÉMENTS GRAMMATICAUX

TABLE DES MATIÈRES